D0504371

Sagorups
en zoute drop

de overleven-in-de-junglecursus

Met dank aan:

Gerrit Jan Groen, voor zijn sagorupsherinneringen

Adèle, Hannah, Nathania en Aidan de Haan, voor de levendige beschrijvingen van hun tijd in Boma

Harry, Beernt en Katinka Berghuis voor de vlieg- en jungletips

Aike en Manin de Vries, echte junglebewoners

Henk Venema en Wemke Venema, voor het kritisch meelezen

Corien Oranje

Sagorups en zoute drop

de overleven-in-de-junglecursus

Met illustraties van
Iris Boter

COLUMBUS / DE VERRE NAASTEN

Sagorups en zoute drop
de overleven-in-de-junglecursus
Corien Oranje

ISBN 978-90-8543089-6
NUR 283, 284

Foto omslag: Roelof van der Schans
Ontwerp omslag: BEEEP grafisch ontwerp bno
Opmaak binnenwerk: Gerard de Groot
Illustraties binnenwerk: Iris Boter

De Verre Naasten

Een uitgave in samenwerking met De Verre Naasten

Uitgeverij Columbus is onderdeel van Uitgeversgroep Jongbloed te Heerenveen

www.jongbloed.com

Inhoudsopgave

Van: Rafaël
Aan: Jesse
Datum: maandag 14 mei 15:13
Onderwerp: hoi

Beste Jesse
Ik heb gehoord dat jullie naar Boma komen!!! Daar woon ik ook.
Met mijn vader en moeder en twee zusjes (Sari 6 jaar en Jolijn 0).
Ik ben de enige jongen dus ik hoop dat je snel komt, heb je ook
broertjes?? Het is hier erg leuk. Ik heb veel vrienden en we doen
coole dingen zoals prauwen en zwemmen in de rivier en vissen. En
soms mogen we bij elkaar logeren. We hebben aan de overkant van
de rivier een echt Papoeahuisje gemaakt met een bladerdak en daar
gaan we dan zelf sago bakken op echt vuur en we slapen op de
vloer. We doen ook tikkertje in de bomen en we duwen elkaar uit de
prauw in het water. Nou ik hoop dat je snel komt.
Doei
Rafaël

Van: Jesse
Aan: Rafaël
Datum: maandag 14 mei 20:21
Onderwerp: RE: hoi

heey Rafaël
Mij vader heeft over jou verteld en ik heb ook een foto van jou
gezien. Ik ben blij dat je zegt dat het daar leuk is.
Want het leek mij eigenlijk niet zo leuk.

Omdat ik dan mijn vrienden niet meer zie. En mijn familie.
En niet meer kan schaken want daar zit ik op. En ik zit ook op een
geheime ridderclub.
Maar je kunt dus wel computeren dus? Heb je ook een foto van jou
en je vrienden. Hoe is het om school te hebben van je moeder??
Zeg je dan ook juf tegen haar.
Ik heb een zusje Nikki en een broertje Bob, maar daar heb je niks
aan want die is nog maar 2.
Doei
Jesse

Van: Rafaël
Aan: Jesse
Datum: woensdag 16 mei 14:06
Onderwerp: RE: hoi

Hoi Jesse
Ik mag geen foto sturen van mijn vader want we sturen de e-mail
via de satelliettelefoon en dat is heel duur. Maar je kunt hier best
schaken hoor. En wij voetballen hier ook en we doen een soort slag-
bal. Het is niet zo leuk om school te hebben van je moeder maar
het is niet zo lang als in Nederland. We beginnen om half 8 en om
half 12 zijn we vrij. Dus dan heb je heel veel tijd om te spelen. En ik
mag bijna nooit computeren want mijn vader wil er altijd op. Hij
staat nu ook al weer achter mijn rug. Want we hebben hier maar
heel kort stroom. Alleen maar 's avonds een paar uur. We hebben
vandaag een prauwenrace gedaan op de rivier. Hoe lang duurt het
nog voor je komt?

En wat doe je op de ridderclub
Doei
Rafaël

Van: Jesse
Aan: Rafaël
Datum: woensdag 9 augustus 10:41
Onderwerp: verhuizen!!!

Eey Rafaël
We gaan volgende week naar Indonesië.
Maar dan komen we nog niet gelijk naar Boma.
Want mijn vader moet nog Indonesisch leren en me moeder ook.
Dus dan gaan we eerst in Bandoeng wonen. Dat is een stad daar.
En daar kun je naar een school om Indonesisch te leren.
Wij moeten dan naar een Engelse school.
Dus nou je hoort nog wanneer ik er ben.
Het is eigenlijk geheim wat we op de ridderclub doen. Zoals een
kasteel bouwen en schatten zoeken.
Je moet ook proeven afleggen voor je er lid van mag worden zoals
zwaardvechten en boogschieten. En nog een meesterproef, dan
moet je zelf iets gevaarlijks bedenken om te laten zien dat je moed
heb. En dan word je eerst schildknaap en dan pas ridder.
Wie had er nou gewonnen met de race?
Doeiiiiiii
Jesse

O ja, ps is het waar dat je daar nooit hoeft af te wassen???

Van: Rafaël
Aan: Jesse
Datum: zaterdag 19 mei 15:30
Onderwerp: RE: verhuizen!!!

Nee, wij hebben hulpen en die wassen altijd af en die maken alles
schoon en ze bakken brood en zo. Dus ik hoef niks in huis te doen.
Alleen soms op zondag, dan moet ik afdrogen. Maar meestal ga ik
dan snel naar de wc en daar blijf ik dan zitten met de Donald Duck
(of een boek) en dan doet mijn zusje of mijn moeder het.
Ik heb ook in Bandoeng gewoond, maar toen was ik een baby dus
dat weet ik niet meer. Van die club klinkt wel cool.
Yoesoef had gewonnen bij de race. Hij wint altijd.
Raf

Van: Jesse
Aan: Rafaël
Datum: zaterdag 17 november 11:02
Onderwerp: knijpen ze bij jullie ook??!

Heeeey Rafaël
We zijn in Indonesië
Bandoeng is een vieze smerige stinkstad. En warm.
Als we boodschappen doen, staan we altijd in de file.
En iemand probeerde mijn vader te beroven in de bus en toen gaf
mijn moeder hem zo'n harde duw dat hij viel.
Maar het is hier verder wel leuk.

We gaan vaak naar McDonalds.

Want mijn vader en moeder moeten als huiswerk met Indonesiërs praten.

En die zijn overal dus ook bij McDonalds.

Alleen wat ik niet zo leuk vind. Iedereen wil ons aanraken.

Vooral Bob dat is mijn broertje.

En Nikki mijn zusje

Ze knijpen keihard in hun wangen.

Mensen die we helemaal niet kennen. Aso.

Als het regent willen kinderen een paraplu boven ons hoofd houden.

En dat wij dan geld moeten geven.

Doen ze dat bij jullie ook? Ik hoop het niet.

Ik leer al wel wat Indonesisch.

Doeiii van Jesse. Nog een maand, dan kom ik.

Van: Rafaël

Aan: Jesse

Datum: dinsdag 21 augustus 19:43

Onderwerp: RE: knijpen ze bij jullie ook??!

Hier houden ze geen paraplu boven je hoofd. En ze knijpen niet in je wangen. In de stad wel maar in Boma niet.

Als het regent pluk ik meestal een bananenblad en dan houd ik dat boven mijn hoofd. Zelf.

Raf

Van: Jesse
Aan: Rafaël
Datum: woendag 12 december 09:18
Onderwerp: verhuizen!!!

We zijn al in Papoea.
overmorgen gaan we naar Boma.
Wat ik nog wou vragen.
Zijn die vliegtuigjes niet eng om mee te vliegen??
Ik zag ze op het vliegveld maar ik vind ze wel erg klein.
En ze hebben maar één motor, dat vind ik nou niet zo veilig. Wat
doe je als die kapot gaat? Heb je een parachute???

Van: Rafaël
Aan: Jesse
Datum: donderdag 13 december 18:05
Onderwerp: RE: vliegtuigje

Hoi Jesse
Cool dat je bijna komt!
Het is helemaal niet eng om te vliegen.
Er stort wel eens eentje neer maar wij hebben dat nog nooit gehad.
Ik heb wel een keer meegezocht naar een vliegtuig dat was neerge-
stort, dat was cool, gingen we met het vliegtuig laag over de jungle
heen vliegen om te zien of we een gecrashte plane zagen. Maar we
hebben hem niet gevonden. Ik word later ook piloot bij de MAF.
Ik denk dat je met Harry gaat die vliegt meestal naar Boma. Hij is
een hele goeie piloot en heel aardig.

Ik weet niet of er parachutes aan boord zijn. Maar meestal heb je die ook niet nodig.

Trouwens de piloten moeten ook altijd oefenen om te landen zonder motor dus het is niet erg als de motor uitvalt. Want als ze dat dus niet goed kunnen (landen zonder motor) mogen ze niet meer vliegen. En die van de MAF zijn heel goed, ze kunnen ook landen op een riviertje als het moet. (Dan moet je er wel snel uit voordat het vliegtuig zinkt!!!)

Tot morgen, Raf

Ps we hebben een Hele Coole verrassing voor jou!!

1 Achtbaan

E en harde knal klinkt door het vliegtuigje. Het lijkt wel een
schot. Jesse veert geschrokken overeind. Hij ziet papa en
piloot Harry naar elkaar kijken. Is er iets mis?

Harry zegt iets tegen papa. In het microfoontje dat aan zijn
helm vastzit. Papa heeft een koptelefoon op, waardoor hij Harry
kan verstaan. Jesse kan niet horen wat ze tegen elkaar zeggen.

'Wat was dat?' roept hij boven het geluid van de motor uit. 'Wat
was dat voor knal?'

'O, niks', zegt mama. 'Niks aan de hand.' Ze glimlacht. Maar
ondertussen drukt ze de kleine Bob dicht tegen zich aan. Zie je
wel. Er is echt iets aan de hand.

Nikki, helemaal achterin, heeft niks door. Ze slaapt. Alsof het
gewoon een autoritje is. Ze heeft helemaal niet door hoe gevaarlijk het is, vliegen.

Jesse duwt zijn bril tegen zijn neus en kijkt naar beneden. Naar
de dichte bossen, diep onder hem. Oerwoud. Zou het pijn doen
als je neerstort? Of zou je gelijk dood zijn? Misschien overleef je
het wel. Als je vliegtuig in de boom blijft hangen. Maar dan ben
je voor altijd zoek. Wat zou erger zijn? Dood zijn? Of helemaal
alleen achterblijven in het oerwoud?

Harry kijkt weer achterom. Met zijn duim wijst hij naar achteren. Hij zegt iets tegen papa.

'Wat zei hij?' vraagt Jesse. Hij duwt papa tegen zijn schouder.
'Wat zei Harry? Is de motor kapot?'

Papa zet zijn koptelefoon even af. 'Nee', roept hij. 'Harry denkt dat het een blikje cola is. Dat klapt wel eens in elkaar op deze hoogte. Door de luchtdruk.'

Jesse leunt achteruit. Dus ze storten niet neer. Nog niet, in elk geval. Dat Rafaël later MAF-piloot wil worden. Die is echt gek. Kijk nou. Zo'n vliegtuig is toch niet meer dan een klein autotje? Je kunt zo de deur opendoen. En dan val je meer dan duizend meter naar beneden. Waarom hebben ze geen parachute gekregen? Dan zouden ze tenminste nog een kans hebben.

'Kijk!' wijst mama. 'Daar! De bergen. Zie je dat?'

In de verte rijzen hoge bergtoppen op. Harry haalt een kaart tevoorschijn. Jesse kreunt. Weet Harry de weg eigenlijk wel? En kan hij zijn handen niet beter aan het stuur houden? Straks vliegen ze nog ergens tegenaan! Stel je voor dat papa ging kaartlezen tijdens het rijden. Hij zou gelijk een bekeuring krijgen.

'We hebben geluk!' schreeuwt papa naar achteren. 'We maken een tussenstop in Soba. Leuk!'

Jesse geeuwt. Zijn oren knappen. Zijn oog steekt. Hij wou dat ze er waren.

De bergen komen steeds dichterbij. Maar Harry stijgt niet. Hij vliegt gewoon tussen de bergen door. Vlak langs steile hellingen, waar mensen tegenop klauteren. Halfblote mannen. Vrouwen met enorme tassen groente op hun rug, en nog een kind op hun schouders ook.

Jesse bijt op zijn lip. Als dit maar goed gaat. Zo meteen raken ze nog iemand. Of iets. Kijk nou! De vleugel gaat vlak langs een boom. Dat ging maar net goed.

Harry wijst naar links.

'O, kijk', zegt papa enthousiast. 'Daar is het al. Zie je dat dorp-je?'

Het vliegtuig maakt een scherpe draai. Jesse voelt zich een beet-je misselijk worden. Op een berghelling ligt een klein dorpje met ronde strodaken. Moeten ze daar zijn? Maar waar moeten ze dan landen? Toch niet op dat stukje grindweg dat tegen de berghelling op loopt? Dat kan de landingsbaan niet zijn. Het ziet eruit als een mislukt landweggetje. Een weggetje dat eindigt in een afgrond.

Het geluid van de motor verandert. Het lijkt wel of hij ermee uit-scheidt. En dan ineens geeft Harry gas bij. De motor loeit. Jesse houdt zijn adem in.

Plotseling raken de wielen de grond. Schokkend en hobbelend rijdt het vliegtuig over het grind. De helling op.

Jesse laat zijn adem langzaam ontsnappen. Pfff. Ze leven nog.

Het vliegtuig gaat steeds langzamer. Bij een klein gebouwtje komt het tot stilstand. Een paar MAF-werkers komen aanlopen. Ze doen de deuren open, beginnen grote zakken rijst uit te laden.

Jesse maakt zijn riem los. Hij springt op de grond. Ze hebben nogal wat bekijks. Het lijkt wel of het hele dorp is uitgelopen. Mannen, vrouwen, kinderen staan in een wijde kring om het vliegtuig heen. Ze zien er heel anders uit dan de Indonesiërs in Bandoeng. Veel donkerder zijn ze. Ze hebben kroeshaar, en vreemde, verweerde gezichten. De kleren die ze dragen zijn oud en versleten. Sommige meisjes hebben alleen maar een gras-rokje aan. Verder niets. En daar – een oude man die helemaal bloot is! Hij draagt alleen een tas die zijn rug bedekt. En een peniskoker. Jesse weet niet waar hij moet kijken. Hij heeft zoiets

Muggen met gestreepte pootjes

Kijk uit voor muggen met zwart-wit gestreepte pootjes.
Grote kans dat ze dengue fever overbrengen.
Dengue fever of knokkelkoorts is een gevaarlijke ziekte.
Je krijgt koorts en hebt pijn in al je gewrichten.
Als je pech hebt, moet je een bloedtransfusie.
Wat dus niet gaat lukken in de jungle.

Muggen met zwarte pootjes

Kijk uit voor muggen met zwarte pootjes.
Sommige zijn onschuldig.
Maar er zijn er ook die malaria overbrengen.

weleens op een plaatje gezien. Maar nog nooit in het echt. Dit is raar. Heel raar. Kan die man geen broek aantrekken? Dat doen die andere mannen toch ook?

'Uniek', zucht mama. Ze laat Bob zakken en kijkt opgetogen om zich heen. 'Wat geweldig is het hier! Heb je ooit zoiets gezien?

En die heerlijke frisse berglucht. Ruik je die rook? De mensen koken hier nog op vuurtjes. Wacht, waar heb ik mijn fototoestel? Jesse, jij let even op Bob, oké?'

Ze begint te rommelen in een rugzak. Bob wankelt naar een steen toe. Hij pakt hem op en gooit hem weg.

'Niet doen, Bobbie', zegt Jesse. 'Niet met stenen gooien.'

Maar Bob luistert niet. Hij stapt op een nieuwe steen af. Hij gooit hem naar een paar kinderen toe. Net mis. Jesse pakt zijn beide handen vast. Bob begint boos te schreeuwen.

Waarom helpen papa en mama nou niet? Papa staat te praten met een Papoea. Mama maakt foto's. Nikki geeft haar nieuwe, bruine Babyborn de fles. Hij moet het helemaal alleen uitzoeken. Met zijn stomme, stenengooiende broertje.

'Kom mee', probeert hij. 'We gaan naar het vliegtuig. Anders gaan ze zonder ons weg. En dan moeten we voor altijd hier blijven.'

'Nee!' roept Bob. 'Nee, nee!' Hij rukt zijn hand los. Hij laat zich op de grond vallen. 'Wil niet viegtuig!'

Jesse kijkt naar de landings-baan. Een smalle streep grind die steil naar bene-den loopt. En die abrupt ophoudt in het niets. Hij

Aaargh! Toch niet zo'n goed idee, die nieuwe legging!

wil ook niet met het vliegtuig. Maar er is geen enkele andere manier om hier weg te komen.

'Jesse', roept papa. 'Kom je mee? Of blijf je hier?'

'Ik kom!' Jesse tilt Bob van de grond en rent terug naar het vliegtuig. Hij klimt naar binnen, geeft Bob aan mama en gaat op zijn stoel zitten. De deuren gaan dicht. 'Awas!' roept Harry. 'Pas op!'

De mensen stappen achteruit. Een man steekt een duim op.

Harry start de motor. Hij controleert metertjes, duwt schakelaartjes omhoog, draait de stuurknuppel van links naar rechts. Hij laat de motor loeien en weer langzamer lopen.

En dan komt het vliegtuigje in beweging. De eerste meters gaan ze nog langzaam. Maar binnen een paar seconden razen ze naar beneden, de steile helling af. Alles schudt en rammelt en schokt. De vleugels trillen alsof ze elk moment af kunnen breken.

Dit is niet echt, houdt Jesse zichzelf voor. *Dit is een droom. Ik droom dat ik in de achtbaan zit. In een klein autootje met vleugels. Er kan niks gebeuren. Straks word ik wakker.*

In volle vaart gaan ze op de afgrond af. Nog honderd meter, nog tachtig, nog vijftig ... Waarom stijgen ze niet op? Waarom denderen ze nog steeds over dat gras? Is er iets mis? Doet de stuurknuppel het niet meer? Nog dertig meter, nog twintig ...

2 Zweet

En dan ineens zijn ze de lucht in. Alleen het rustige geluid van de motor is nog te horen. Jesse slaakt een diepe zucht. Hij kijkt uit het raampje. Diep onder zich ziet hij de rotsen. De rotsen waarop ze de pletter hadden kunnen vallen. Als ze niet zo'n goeie piloot zouden hebben. En de engelen natuurlijk.
Jesse knijpt zijn ogen half dicht. Ziet hij daar nu iets op de vleugel? Ach, nee. Wat een onzin. Het is gewoon de weerspiegeling van de zon. Maar daarom kunnen ze er nog wel zitten.

Ze vliegen over kleine dorpjes met vreemde, ronde huisjes. Over een grote vallei, met wegen en auto's, een rivier. Over een rotsachtige, kale hoogvlakte. En van het ene op het andere moment zijn er geen bergen meer. Alleen een duizelingwekkende afgrond. De bergwand loopt loodrecht naar beneden. Alsof iemand er met een bijl een stuk vanaf heeft gehakt en de rest van de berg heeft weggegooid. Diep, duizenden meters diep daaronder, beginnen de bossen.
Jesse geeuwt. Bang is hij niet meer. Hij begint slaperig te worden. Als in een droom ziet hij het regenwoud onder zich voorbijglijden. Een bruine, kronkelende rivier. Een grote, open plek waar een dorp is gebouwd. Een modern dorp met rechte straten, keurige huisjes. De zinken daken weerspiegelen de zon. En dan weer bomen. Bos, zo ver je kunt kijken.
'Kijk!' roept papa achterom. 'Zie je dat, Jesse? Een boomhuis!'

Het vliegtuig duikt naar beneden. Jesse voelt zijn maag in zijn keel schieten. Hij is ineens weer klaarwakker. Wat doet Harry nu weer? Dan ziet hij wat papa bedoelt. Een bladerdak, in een hoge, dode boom.

Het vliegtuig cirkelt eromheen. Jesse drukt zijn gezicht tegen het raampje. Dat daar mensen wonen! In zo'n gammel hutje, minstens honderd meter boven de grond. Er zitten niet eens muren in het huis. Het heeft alleen een dak van stokken en palmbladeren. En een vloertje van stammetjes. Stel je voor dat zíj daar moesten wonen. Bob zou vast naar beneden vallen. Gelijk, de eerste dag al. En mama? Die zou nooit meer naar beneden durven. Die zou haar hele leven daar boven moeten blijven zitten.

Stel je voor dat je 's nachts naar de wc moet. Wat doe je dan? Naar beneden klauteren? Ach nee. Je plast gewoon naar beneden. Vanaf de rand van je huis. Mag je wel uitkijken dat je niet valt, trouwens. Het is hier vast pikdonker 's nachts. Elektriciteit hebben ze natuurlijk niet in zo'n boomhuis.

Het vliegtuig maakt weer hoogte. Ze volgen nu een riviertje. Hier en daar zien ze een paar huizen, een dorpje. Een brede, roodbruine zandweg. Een vrachtauto. Het begint warm te worden. Alsof de hitte opstijgt uit het bos.

'Daar!' zegt mama. Haar gezicht is rood. Er zitten piepkleine druppeltjes op haar voorhoofd. 'Daar is het. Zie je dat? Dat is Boma, volgens mij. Ik herken het van de foto's.'

De boomtoppen komen dichterbij. Daarachter ligt een grote, opengekapte plek. Met een paar grote huizen met daken van zink. Roodbruine straatjes, waaraan kleine huizen met bladerdaken staan. Een brede rivier, waarin een paar schepen liggen.

'Dat is ons huis, Jesse!' roept papa naar achteren. 'Kijk, daar!

Vlak bij de rivier!'

Jesse knikt. Hij heeft de foto's al honderd keer gezien. Papa is hier een jaar geleden al geweest. Om te zien of hij hier wilde werken. Helemaal enthousiast was hij teruggekomen. 'Geweldig!' had hij gezegd. 'Wat een prachtige plek! Wat een prachtige mensen. En er is zo veel te doen. Echt, het is de kans van ons leven. Voor jullie ook, Jesse. Een onvergetelijke ervaring. Geen uitlaatgassen meer. Geen gehaast. Geen druk verkeer.'

Jesse schudt zijn hoofd. Geen schaakclub meer. Geen vrienden meer. Geen school. Niet meer naar de geheime ridderclub. Híj had er geen zin in. Maar dat telde natuurlijk niet.

Met Sinterklaas had hij *Pippi Langkous in Taka-Tukaland* gekregen. Om alvast in de stemming te komen. In de goeie, avontuurlijke junglestemming. Taka-Tukaland. Ja hoor. Duiken naar parels. Vechten met haaien. Piraten van rotsen gooien. Dachten ze echt dat hij dat zou geloven? Dat Papoea op Taka-Tukaland leek?

Ze vliegen nu vlak over de boomtoppen. Daar beneden – die lange, rechte weg tussen de bomen. Dat moet de landingsstrip zijn. Het lijkt niet op Schiphol. Of op het vliegveld waar ze vanmorgen vroeg zijn opgestegen. Maar het is in elk geval beter dan die strip in Soba. Nog heel even en hij ontmoet Rafaël. Toch wel spannend. Stel je voor dat ze elkaar stom vinden.

Bob begint te huilen en grijpt naar zijn oren. Hij probeert zich uit mama's armen los te wringen. Maar hij zit met zijn eigen riem stevig aan mama's riemen vast.

Lager en lager gaan ze. Ze vliegen nu vlak boven de landingsbaan. Jesse ziet kinderen langs de strip staan. Een jongen met

Jungletips van Aike de Vries (8 jaar) en Marin de Vries (6 jaar)

Als je gaat douchen moet je niet in het water gaan zitten, maar het met een mandibakje over je hoofd gooien.
Als je je laarzen aantrekt dan moet je eerst je laars uitschudden want er kan een hele dikke spin in zitten of een schorpioen en die kan een gat in je voet bijten.

Tip van Bapak Willem
De rat
Een lekkernij.
Snijd het buikje open en haal de ingewanden eruit.
(Of laat ze erin, net wat je lekker vindt).
Leg hem op een vuurtje met de pootjes gespreid.
Haal de huid eraf.
En smullen maar.

een rode korte broek aan. Een vrouw met een kind in een draagdoek. Een groepje kleintjes met dikke buikjes. Het volgende moment landen ze. Minder ruw dan in Soba. Maar het bonkt en hobbelt wel, en ze worden helemaal door elkaar geschud. Harry remt scherp af. De flappen op de vleugels klapperen. Dan taxiet hij naar een gebouwtje toe. Op een grasveld komt hij tot stilstand. Achter een hek, onder een afdak, staan mensen te kijken. Heel veel mensen. Een magere man met een baard steekt zijn hand op. Dat moet de vader van Rafaël zijn. Op het hek naast hem zit een meisje. Rafaëls zusje.

Een eindje verderop staat een jongen met lang blond haar – dat is Rafaël! Vast! Hij draagt een veel te groot shirt, en een slordig afgeknipte spijkerbroek, en hij heeft zijn arm om de schouder van een andere jongen geslagen. Ze lachen ergens over. Heel even voelt Jesse een steekje van jaloezie door zich heen gaan. Hij wist wel dat Rafaël vrienden had. Maar zulke goeie vrienden?

Het vliegtuig wordt uitgeladen. Twee MAF-werkers leggen de koffers, tassen en dozen op een kruiwagen. Een paar andere mannen rollen een vat kerosine naar het vliegtuig toe. Jesse gaat achter papa en mama aan naar het gebouwtje toe. Als ze de deur doorgaan, worden ze meteen omringd door mensen. Papa en mama krijgen een bloemenkrans om hun nek. En van alle kanten krijgen ze handen. Het dorpshoofd, de postbode, de dominee. De vader van Rafaël. *'Zeg maar oom Herman.'* En zijn moeder, die een baby in een draagdoek op haar buik heeft hangen. *'Hallo Jesse. Ik ben tante Magda.'*

Ineens krijgt hij een klap op zijn schouder. Hij draait zich om. Daar staat Rafaël. Scheve tanden, haar tot in zijn ogen en een brede grijns. 'Hé, Jesse! Eindelijk ben je er. We hadden op de radio gehoord hoe laat jullie aankwamen. Ga je met mij mee? Ik ben met de prauw.' Hij wijst naar de rivier, naast het vliegveld.

'Eh ...' Hulpzoekend kijkt Jesse naar mama. Maar die is druk in gesprek met Rafaëls moeder. Ze heeft helemaal geen aandacht voor hem. En ook niet voor Nikki, die is neergehurkt en kringetjes in het zand trekt. Of voor Bob, die zijn gezicht in haar nek begraaft. Papa is met de vader van Rafaël aan het praten.

'Laat ze maar', zegt Rafaël. 'Dit gaat nog uren duren. Kom mee, dan gaan wij vast naar huis. O ja. Dit is Yoesoef. M'n vriend.'

Rafaël trekt een donkere jongen naar voren. Hij heeft kortgeknipt kroeshaar, en hij draagt een Ajax T-shirt met gaten en de smerigste broek die Jesse ooit gezien heeft. Net als Rafaël loopt hij op blote voeten.

Jesse steekt een hand op en doet hem dan snel weer naar beneden. 'Hoi.' Hoe gaat dat hier? Moet je een hand geven? Of iets speciaals zeggen? Yoesoef lijkt zich ook niet echt op z'n gemak te voelen. Hij veegt met zijn voet over de aarde en kijkt langs Jesse heen. Rafaël zwaait naar zijn vader.

'Pap, wij gaan!' roept hij.

'Maar onze spullen dan', zegt Jesse. 'Ik denk dat ik wel wat moet dragen.' Rafaël grinnikt alsof Jesse iets heel doms gezegd heeft. 'Dragen? Nee, man. Dat doet Yakoeb. De postbode. Die brengt jullie spullen naar jullie huis toe. Kom op.'

Jesse kijkt nog één keer om. Dan loopt hij achter Rafaël en Yoesoef

Ah! Zeker weer een feestje gehad!

aan naar de rivier. Half op het gras ligt een smalle, langgerekte boot. Yoesoef duwt hem in het water, stapt in en pakt een lange roeispaan.

'Is die van jou?' vraagt Jesse.

Rafaël knikt. 'Bapak Johannes heeft hem voor mij gemaakt. Onze tuinman. Toen hij vrij kwam uit de gevangenis. Cool hè?'

'Heel cool. Eh – wat zeg je? Uit de gevangenis?'

'Had z'n vrouw doodgeslagen', zegt Rafaël alsof het de normaalste zaak van de wereld is. 'Per ongeluk, hoor. Hé, ik zou die sandalen wel even uitdoen als ik jou was.'

Jesse kan zichzelf wel voor de kop slaan. Stapt hij bijna met sandalen en al het water in. Wat zullen Yoesoef en Rafaël wel van hem denken? Gauw trekt hij zijn sandalen uit. Hij waadt de rivier in en klimt voorzichtig aan boord. Het bootje wiebelt gevaarlijk.

'Ga jij maar zitten', zegt Rafaël. Hij duwt de prauw dieper het water in en springt aan boord. 'Wij prauwen wel.'

Jesse laat zich neerzakken op een klein plankje dat tussen de beide zijkanten van de prauw ingeklemd zit. Met zijn voeten zit hij in een troebel laagje water. Rafaël en Yoesoef prauwen staand naar het midden van de rivier.

Jesse kijkt om zich heen. Niet te geloven dat ze vanmorgen nog in een stad waren met auto's en busjes en vrachtwagens, met tennisbanen en hotels, met winkels en een markt, scholen en een groot vliegveld. Hier is alleen maar bos. En water. En lucht. Helderblauwe lucht, waarin een paar grijswitte stapelwolken hangen.

'Zo', zegt Rafaël, als ze vaart beginnen te krijgen. 'En nu over de verrassing.'

3 Alleen ratten

I neens herinnert Jesse zich het mailtje van gisteravond weer.
Ps we hebben een Hele Coole verrassing voor jou!!
Hij heeft er gisteren nog een poos over zitten piekeren. Een hele
coole verrassing ... zou het soms een hondje zijn? Hij heeft
altijd al een hondje gewild. Of misschien een buidelbeertje? Of
een kakatoe, die hij kan leren praten?
Rafaël haalt zijn roeispaan uit het water. Hij gaat tegenover
Jesse zitten. 'We hebben een club opgericht. Een jungleclub. En
jij mag ook lid worden.' Opgetogen kijkt hij Jesse aan. Alsof hij
hem net een groot cadeau heeft gegeven.
Jesse knippert met zijn ogen. Een jungleclub? 'Tjonge. Eh ...'
Dat was niet helemaal wat hij verwacht had.
'Cool hè? Ja, omdat jij een kastelenclub had. En toen zei ik tegen
de anderen, wij moeten hier ook een club hebben als Jesse
komt.'
Jesse wil wat zeggen. Maar Rafaël gaat al verder. 'En je hebt
natuurlijk helemaal geen verstand van de jungle, maar dat geeft
niks. Want je moet eerst een cursus volgen. Vóór je lid kunt worden. Een cursus overleven-in-de-jungle.'
'Een eh – cursus?'
'Ja! Goed idee, hè? Want jouw vader komt hier toch om cursus-
sen te geven? Van hoe je gezond moet blijven en hoe je cacao-
bomen moet planten en zo? Nou, en daarom dachten we, als wij
jóu nou eens een cursus geven. Van allemaal dingen die je moet

weten. Voor als je verdwaalt in het oerwoud en zo. Zoals: wat doe je als je ergens een schedel ziet hangen, ga je dan verder of niet. En welke beesten kun je eten en welke niet, sagorupsen natuurlijk wel, en ratten, maar dat je niet bijvoorbeeld een duizendpoot gaat opeten, snap je.'

Jesse schraapt zijn keel. Een duizendpoot eten. Dat idee zou ook niet meteen in hem opkomen. Trouwens, het idee om ratten en rupsen te gaan eten ook niet.

Yoesoef roeit rustig verder, en de boot glijdt snel door het donkere water.

'En als je gebeten bent door een gifslang, wat doe je dan', gaat Rafaël enthousiast verder. 'En je moet leren prauwen. En boogschieten. En vissen. En je moet natuurlijk allemaal proeven doen, net als bij jullie ridderclub. En aan het eind, als je overal voor geslaagd bent, dan mag je lid worden. Van onze jungleclub.'

Help. Een jungleclub. Een overleven-in-de-junglecursus. Waarom vragen ze niet of hij dat eigenlijk wel leuk vindt?

'Hé, Jesse, heb je toevallig zin om lid te worden van onze jungleclub?'

'Hé, Jesse, zou je het leuk vinden om een cursus wat-doe-ik-als-ik-een-schedel-tegenkom te volgen?'

'Nou, heel aardig dat jullie het aanbieden, maar nee, dat zou ik niet zo leuk vinden. Maar misschien kunnen we wat anders doen. Een potje schaak of zo.'

Maar nee. Ze vragen niks. Hij móet een stomme overleven-in-de-junglecursus. Hoe komt hij hier ooit onderuit? Kan hij zeggen dat hij er geen zin in heeft? Of zouden ze dan gelijk denken dat hij niet durft?

Jesse haalt zijn bril van zijn neus en begint de glazen te poetsen.

Misschien vergeten ze het wel. En anders kan hij altijd nog zeggen dat hij het te druk heeft. Met school. Of dat hij niet mag van z'n vader en moeder.

'Het is natuurlijk wel geheim', zegt Rafaël op gedempte toon. 'Niemand mag ervan weten. Vooral je vader en moeder niet. Anders zeggen ze natuurlijk dat het te gevaarlijk is.' Hij zet zijn peddel voor zich op de bodem van de prauw.

'Mijn vader en moeder ook, echt niet te geloven. Rafaël, pas op voor bloedzuigers, Rafaël, doe een zwemvest aan, Rafaël, niet in een palmboom klimmen.' Hij klakt met zijn tong.

'Echt, gek word je ervan. En het is natuurlijk ook onzin. Ik klim mijn hele leven al in palmbomen, en ben ik er ooit uitgevallen?' Jesse steekt zijn handen omhoog. Hij heeft Rafaël vóór vandaag nog nooit gezien. Hij heeft er geen idee van of hij ooit uit een boom is gevallen. 'Ik weet niet?'

'Nee, natuurlijk. Want anders stond ik hier niet. Dus daarom, je moet gewoon die cursus doen en niks vertellen. En dan, als er ooit wat gebeurt, je verdwaalt in het bos of zo, dan kun jij de familie redden. Omdat jij weet hoe het moet.'

Jesse schraapt zijn keel. De hele familie redden. Een heel klein beetje moed kruipt voorzichtig zijn lichaam binnen. Het verspreidt zich razendsnel door zijn armen en benen. De familie redden. Het is natuurlijk wel handig als hij dat kan.

'Niet bang zijn, mama. Ik klim wel even in die palmboom. Als ik over het bos uitkijk, zie ik zo hoe we moeten lopen.'

'Kijk, papa, ik heb een rat voor ons geschoten. Dan hebben we wat te eten, vanavond.'

In gedachten schrijft hij vast een mailtje aan zijn klas.

Beste iedereen

Ik doe een cursus overleven-in-de-jungle.
Voor als ik een keer neerstort met het vliegtuig.
Of verdwaal in het oerwoud.
Zodat ik dan weet hoe ik kan overleven.
Ik kan dan bijvoorbeeld ook de rest van de familie redden.
Omdat ik dan weet wat je kunt eten.
Zoals rupsen en ratten.
Duizendpoten beter niet.
(daar zit trouwens ook weinig vlees aan)
Groetjes van Jesse

Ps het lijkt hier een beetje op centerparcs het tropisch zwempara-
dijs maar dan met echte palmbomen en niet van plastic!

Langs de oever van de rivier roeit een vrouw tegen de stroom in.
Ze heeft een baby in een doek op haar rug. Een klein meisje ped-
delt voorin mee. Midden in de prauw ligt een enorme tros groene bananen.
Rafaël wijst naar een klein wit zandstrandje in de bocht van de
rivier. 'Hier gaan we wel eens picknicken. Gaan we kreeften zoeken en bakken op een vuurtje. Onze hut is er vlak bij.'
'Zijn hier ook krokodillen?' vraagt Jesse. Hij duwt zijn bril tegen
zijn neus.
'Ja, maar die zie je nooit. Ze zijn bang voor lawaai. Alleen 's
nachts komen ze wel eens aan land. Wij hebben er wel eens een
paar in de tuin gehad.'
'Echt?'
'Niet van die grote, hoor. Kleintjes.'
'Eten ze ook mensen?'

Rafaël vertaalt de vraag voor Yoesoef. Die barst in lachen uit. Alsof het een hele goeie mop is.

'*Hanya tikoes*', zegt hij. 'Alleen ratten.'

'En kippen', voegt Rafaël er in het Indonesisch aan toe. 'Maar meer naar het zuiden, daar heb je zoutwaterkrokodillen. Die zijn gevaarlijk, man. En groot. Wel vijftien meter. En er is er een die heeft geleerd om een prauw om te gooien. Met z'n staart. Is zo, hè, Yoesoef?'

Yoesoef knikt. 'Hij heeft al wel twintig prauwen omgegooid. En iedereen opgegeten. Met huid en haar.'

'Cool', zegt Jesse. Hij voelt zich een beetje misselijk. Hoe ver naar het zuiden zitten die krokodillen eigenlijk? En wat is dat zwarte ding dat daar in het water drijft? Het líjkt een boomstam. Maar krokodillen lijken ook precies op boomstammen ...

De rivier maakt een bocht. Het donkere water weerspiegelt de lucht en de bomen. De wereld is oneindig groot en tegelijk kleiner dan ooit. Alsof er niets anders is dan dit. Het geplas van peddels in het water en een kleine prauw op een rivier in het oerwoud.

Een nieuwe bocht. En ineens zijn er geluiden. Een motorzaag, flarden muziek, geblaf, het gekraai van een haan. Links, in de kom van de rivier, liggen twee grote boten aangemeerd. Vrouwen zijn de was aan het doen. Kleine kinderen spelen in het water.

Rafaël stuurt de prauw naar de kant. 'Kijk, daar wonen wij', zegt hij. Hij knikt naar een houten huis dat een eindje verderop aan het water staat. 'En daarachter staat de school. Maar die kun je van hieruit niet zien.'

'En waar is ons huis?'

Rafaël wuift vaag met zijn hand. 'Daar links. Vlak bij de kerk.'
Hij springt in het kniediepe water. Yoesoef stapt ook van boord.
Hij duwt de prauw naar de kant toe. Jesse staat voorzichtig op en
valt bijna achterover. Vanaf de kant klinkt hard gelach. Een paar
jongetjes staan naar hen te kijken.

'De witte viel bijna!' roept er een.

'Hij kan nog niet staan in een prauw!' zegt een ander.

'Pas op!' roept Rafaël naar boven. 'Of ik gooi jullie erin.'

De jongens beginnen te gillen van de lach. Rafaël klautert
behendig de steile helling op. Snel springen de jongens het
water in. Ze verdwijnen kopje onder, komen weer boven, rennen omhoog en springen opnieuw naar beneden.

Jesse klimt op blote voeten naar boven, zijn sandalen in zijn
hand. De grond is warm en glibberig onder zijn voeten. Het
ruikt lekker fris hier. Heel anders dan in Bandoeng. Daar rook
het naar uitlaatgassen, naar vuilnis, naar halfbedorven kip. Hier
ruikt het naar water. Naar gras. Naar opgedroogde klei. Naar
rook. En naar iets anders, dat hij nog niet thuis kan brengen.

'Kom op', zegt Rafaël. Hij steekt zijn hand uit en trekt Jesse het
laatste steile eindje omhoog. 'We gaan.'

Water besparen als het al weken niet
geregend heeft
Doe de was in de rivier.
Doe de afwas in de rivier.
Was jezelf in de rivier.
Haal emmers rivierwater om de wc mee
door te spoelen.

Weet wat je eet!

Heb je tijdens een tocht door het bos
boskipeieren gevonden?
Kijk vóór je in het donker een omelet
bakt eerst even of er niet al een baby-
boskip inzit.

Een kip als huisdier?

Bind de kip eerst aan één poot vast
aan een van de palen onder je huis.
Zet eten en drinken voor hem neer.
Spreek hem vriendelijk toe.
Na een paar dagen kun je het touw los-
maken.
De kip weet nu waar hij thuishoort.

Hans en Grietje
liepen door het
bos...

4 Stinkende stekelvruchten

Over een klein zandpaadje lopen ze naar het huis van Rafaël toe. Yoesoef en Rafaël wijzen onderweg alles aan.

'Dit zijn de winkeltjes van de bootmensen.'

'Kijk, dit paadje gaat naar het vliegveld.'

'Daar is het volleybalveld.'

Rafaël stoot Yoesoef enthousiast aan. 'O ja, daar is vorig jaar iemand zomaar dood neergevallen, weet je nog? Die aan het volleyballen was.'

Yoesoef knikt. Hij wijst naar een gebouwtje waar een paar vrouwen met baby's zitten te wachten. 'Dit is de poli. Voor als je ziek bent.'

'Niet dat ze ooit medicijnen hebben', voegt Rafaël eraan toe. 'Dus je kunt beter maar niet ziek worden.'

Jesse blijft even staan. Op de veranda van de poli bungelt een krijsende baby aan een touw aan het plafond. Het lijkt wel een grote bromvlieg. 'Wat doen ze met dat kind?'

'O, ze zijn hem aan het wegen.'

'Doet dat geen pijn?'

'Nee hoor. Hij hangt gewoon in een weegbroek.'

'Maar hij huilt!'

Rafaël haalt onverschillig zijn schouders op. 'Het is gewoon een jankbaby. Kijk, dat gebouwtje daar achter het volleybalveld, dat is Yoesoefs school. Maar die is dicht. Al twee maanden.'

'Wauw.' Jesse kijkt opzij naar Yoesoef. 'Heb je zo lang vakantie?'

Yoesoef knikt. 'De meesters en juffen hadden al een halfjaar geen loon gehad. Dus ze zijn er vandoor.'

'Dus dat komt goed uit', zegt Rafaël. 'Dan hebben we extra veel tijd voor de jungleclub.'

Ze komen langs een soort kippenhok waar een grote machine in staat. Er komen dikke elektriciteitsdraden uit, die via palen alle kanten op geleid worden. Jesse blijft staan. Dat ziet er interessant uit. 'Wat is dit voor ding?'

'Een vrachtwagenmotor. 's Avonds, als het donker wordt, zet een van de werkers hem aan. Zodat we licht hebben, snap je? Omdat we geen elektriciteit hebben hier.'

'Waar loopt-ie op?'

'Op diesel.'

Het pad maakt een bocht. Achter de bomen staat een houten huis op palen. Het heeft een overdekte veranda, met bogen waar klimplanten met gele bloemen tegenop groeien. Een grote tuin loopt af naar de rivier. Uit de open ramen komt de geur van versgebakken brood.

'Dit is ons huis', zegt Rafaël. 'Wacht even. Dan haal ik even wat te eten en te drinken voor ons.' Hij klimt de veranda op en duwt een hordeur open. Even later komt hij terug met drie glazen citroenlimonade en een paar dikke witte boterhammen. Zittend op de rand van de veranda eten en drinken ze. Het brood is nog warm.

'Straks krijgen we appeltaart', zegt Rafaël met volle mond. 'Nou ja, geen echte appeltaart natuurlijk. Het is eigenlijk onrijpe-papajataart. Want er zijn hier helemaal geen appels. Ben je klaar? Dan gaan we jouw huis bekijken. Oké?'

Jesse propt snel zijn laatste hap brood naar binnen. Hij springt

Komt er regenwater uit de kraan?
Drink het dan gerust!
Maar
- kijk of er doorzichtige larven in rond-
  zwemmen
- neem elke drie maanden een anti-
  wormenkuur
- zorg dat je altijd en overal wc-papier
  bij je hebt.

Beestjes in het meel
Hoor je geluiden uit de ton met meel?
Dan zijn de larven uitgekomen.
Zeef de meel.
Gooi de kevers weg.

van de veranda af. Hij kan niet wachten tot hij eindelijk het huis kan zien.

Yoesoef gaat voorop. Ze lopen over smalle zandpaadjes. Langs een boom met vreemde, stinkende stekelvruchten, zo groot als baby's. Over een grasveld, waar een paar houten huisjes rond gebouwd zijn. Langs een paar oude schuurtjes waar de verf van-af bladdert.
De zon is achter de wolken verdwenen, en het is broeierig

warm. Jesses shirt plakt tegen zijn rug, en het zweet druipt langs zijn gezicht. Zijn bril zakt steeds van zijn neus.

Bij een modderig badmintonveldje slaan ze linksaf. Ze komen langs een enorme bamboestruik, met metershoge stammen en ritselende blaadjes, langs een met gras begroeide heuvel, een halfopen gebouw dat Jesse vaag bekend voorkomt. Is dit niet de kerk? Dan moet hun huis hier vlakbij staan.

Ja, daar! Links, achter de bomen, in die grote, glooiende tuin – dat zilverkleurige, golfplaten huis met die blauwe palen. Rafaël spreidt zijn armen. Zo trots alsof hij het er zelf heeft neergezet. 'Kijk. Dit is het. Jullie huis.'

Jesse kijkt naar de tuin met de bananenbomen, de kokospalmen, de ananasstruiken. Naar de klimbomen met dikke takken en grote bladeren. De hoge bamboestruik die zachtjes heen en weer beweegt in de wind. De schommel, die van een oude autoband is gemaakt. De stenen veranda, waar een een paar oude rieten stoelen en een tafeltje staan. Jesse glimlacht. Het is nog beter dan hij gedacht had. Het is een perfecte tuin. Een tuin om een kasteel in te bouwen.

'Dit is een heel oud huis', vertelt Rafaël, terwijl hij Jesse voorgaat naar de veranda. Hij trekt een piepende hordeur open. 'Er hebben al wel honderd mensen in gewoond. Het gaat gewoon niet kapot. Omdat het van ijzer is. En zie je dat? Jullie hebben echte tegels op de vloer. Cool hè? Dat heeft niemand. Alleen jullie.'

Jesse zet zijn sandalen op de veranda en gaat achter Rafaël en Yoesoef aan naar binnen. Het is schemerdonker in de woonkamer. Er staan twee zelfgemaakte banken met verschoten blauwe kussens, een rotan tafeltje met een bosje bloemen in een jampotje. Naast de open keuken staat een zware, ruwhouten eettafel met zes stoelen. In de keuken is een oude vrouw de vloer aan het dweilen.

'Jullie hulp', zegt Rafaël. 'Ibu Maria.'

De vrouw kijkt om en lacht. Ze mist een paar tanden, ziet Jesse. En de tanden die ze nog heeft, zijn rood. Net als haar tandvlees.

'Kijk, en hier zijn de slaapkamers.' Rafaël gaat een gangetje in en duwt een deur open. 'Hier slaap jij.'

'Waarom zijn haar tanden zo rood?' fluistert Jesse. Hij kijkt achterom.

'Wie z'n tanden?'

'Die ibu d'r tanden.'

'Waren die rood?'

'Heb je dat niet gezien? Het leek wel bloed!'

Yoesoef grinnikt. 'Ze kauwt *pinang*[1]. Dat helpt tegen kiespijn.'

'En? Hoe vind je het?' vraagt Rafaël.

'Heel vies.'

---

[1] betelnoot

'Nee, niet ibu Maria. Ik bedoel je kamer!'

'O!' Jesse kijkt om zich heen. Een oud bed met een gelige klamboe. Een zelfgetimmerd tafeltje met een stoel. Een kast. Aan de muur hangen een paar posters van vliegtuigen, een ketting met hondentanden, een stoffig grasrokje. Gele gordijnen met baby-Donald Ducks.

'Ik heb een paar posters van mezelf opgehangen. En wat andere dingen die ik nog had. Zodat het een beetje gezelliger is.'

'Wat aardig. Heel mooi.' Jesse laat zijn blik over een poster met een MAF-vliegtuigje glijden. De hoekjes zijn eraf gescheurd en er zitten zwarte vlekken op.

'Je moet wel een beetje uitkijken, want er kunnen slangen onder de muur door. Dus dat je daar niet op trapt, 's nachts. Je kunt het beste een zaklamp onder je kussen leggen. Voor als je naar de wc moet.'

'Ze zitten tussen de wanden in', zegt Yoesoef. 'De slangen.'

Rafaël klopt op de muur. 'Ja, dat is weer het nadeel van dit huis. Dat je dubbele wanden hebt. Maar ja, elk huis heeft wel wat. Wij hebben wel eens een schorpioen in de wc gehad. En bij Yoesoef hebben ze gaten in het dak.'

De deur gaat op een kier open. Een meisje kijkt om de hoek. Ze heeft kort blond haar, en een gezicht vol sproeten. 'Hoi', zegt ze. 'Jij bent zeker Jesse?'

Jesse knikt.

'Dat wist ik wel, hoor.'

'Waarom vraag je het dan?' zegt Rafaël. 'Als je het toch al wist. Dit is m'n zus. Sari. Denkt altijd dat ze alles weet.'

Sari steekt haar tong uit. 'Komen jullie? Iedereen is er. We gaan taart eten.'

5 Hondenvergadering

Het is donker. Aardedonker. En heel stil. De generator is een kwartier geleden uitgegaan. Eerst knipperden de lichten in huis een keer. En toen stopte het gebrom van de motor. De lichten doofden langzaam uit. Tot het helemaal donker was. Hij hoorde mama mopperen. 'Au! M'n voet! Welke gek doet zomaar dat licht uit?'

De stem van papa: 'O, had ik dat niet verteld? De motor gaat altijd om tien uur uit.'

'Nee, dat had je niet verteld. Hoe moet ik nou naar de wc? Ik zie geen hand voor ogen.'

'Er moet hier ergens een zaklamp – au! Pas op!'

'Kijk zelf uit!'

'Hé!' zei Jesse. 'Ik word wakker, hoor, als jullie ruziemaken.'

'Sorry!' riep papa.

'Waarom slaap jij nog niet?' had mama gevraagd.

'Eerst sliep ik niet omdat die stomme motor zo'n lawaai maakte. En nu slaap ik niet omdat jullie ruziemaken.'

'Wij maken géén ruzie', siste mama tussen haar tanden. 'En houd je mond. Zo maak je Bob en Nikki wakker.'

Slapen? In zo'n huis? Je hoort hier alles. De wanden tussen de kamers zijn van hout. En ze lopen niet eens door tot aan het plafond. Er zit gaas aan de bovenkant. Om de wind door te laten. En alle geluiden. Handig.

Jesse rekt zich uit. Hij voelt aan zijn klamboe, die net boven zijn hoofd hangt. Voortaan gaat hij niet meer slapen, 's middags. Maar het was zo warm. Zo smerig, zweterig, kleverig warm. Hij kon zijn ogen gewoon niet meer openhouden na het eten. Ook omdat ze zo vroeg waren opgestaan vanmorgen, natuurlijk. Maar hij had gewoon nooit in bed moeten gaan liggen. Dat gaat hij dus nooit meer doen. Nu kan hij niet slapen. Mooie boel.

Aan het eind van de middag heeft hij samen met Rafaël het dorp verkend. Ze hebben een heuvel beklommen, vanwaar je kilometers ver over het oerwoud kon uitkijken. Het was alsof ze op een eiland in een zee van bomen stonden. Hij had er zo'n raar gevoel van gekregen dat hij snel de heuvel weer was afgerend.

Daarna zijn ze naar de kampong gegaan. Straatjes van zand, paalhuizen met bladerdaken. De varkens en honden scharrelden onder de huizen, en kleine kindjes met snotneuzen en bolle buikjes renden met stokken achter een paar kippen aan. In de schaduw van een paar bomen lag een magere jongen op de grond. Hij staarde langs hen heen alsof hij hen niet zag. 'Die is verlamd', vertelde Rafaël. 'En gek.'

'Echt?'

'Ja, hij had heel erge malaria. Het zat helemaal tot in z'n hersens. Hij heeft het nog net gehaald. Maar hij had beter dood kunnen gaan volgens mij. Dit is ook niks, toch?'

'Nou ja!' zei Jesse verontwaardigd. 'Jullie kunnen toch wel wat doen? Kun je hem geen rolstoel geven of zo?'

'Wat moet je hier nou met een rolstoel! Dat gaat toch helemaal niet? Met een rolstoel tegen de heuvels op en over die ongelijke paadjes? En trouwens, moet je z'n huis zien.' Rafaël knikte naar het kamponghuis. Een huis op palen, meer dan een meter boven de grond. Een gammel houten trapje, een hele smalle deuropening, met daarachter een donkere ruimte. 'Daar kun je echt niks beginnen met een rolstoel.'

'Maar wat doet hij dan, de hele dag?'

'O, gewoon. Hij ligt binnen als het regent. En anders leggen ze hem buiten. Heeft-ie tenminste nog wat te zien. We kunnen wel effe naar binnen, als je wilt.'

Jesse schudde snel zijn hoofd. 'Nee, ben je gek, ik ga daar niet naar binnen. Ik ken die mensen toch niet.'

'Maakt dat nou uit! Ze vinden het alleen maar leuk als je op bezoek komt – of wacht eens ... ik heb een beter idee. We gaan naar Elisa. Dat is een vriend van mij. Hij is ook lid van de jungleclub. Hij heeft net een tweeling gekregen. Nou ja, hij niet, een van z'n moeders.'

'Een van z'n moeders?'

'De nieuwe vrouw van z'n vader, bedoel ik. Kijk, hier is het.'

Achter Rafaël aan klom Jesse het kleine trapje op. Het huis had maar één ruimte, en door de latjesvloer heen kon je de grond zien. In een hoek zat een oude man met een bot mesje een speer te snijden. Er waren twee vrouwen, een met een peuter aan de borst. De ander, nog bijna een meisje, was een steenachtige klomp deeg aan het raspen.

Elisa was nergens te bekennen. Maar in het midden van de kamer, naast een rokerig vuurtje, lagen twee piepkleine baby's te slapen. Zomaar op de vloer. Ondanks de hitte waren ze stevig ingepakt: doeken, mutsjes, handschoentjes. Erg gezond zagen ze er niet uit. Magere, bleke gezichtjes, bijna doorschijnende oogleden. 'Zijn ze niet een beetje erg klein?' vroeg Jesse.

Rafaël wierp een keurende blik op de baby's en haalde zijn schouders op. 'Geen idee. Ze zijn een stuk kleiner dan Jolijn.

> Komen er 's nachts geluiden uit de bad-
> kamer?
> Wees niet bang.
> Dat zijn de kakkerlakken.
> Die eten de restjes van je tanden-
> borstel.
>
> Zwarte randjes onder je teennagels?
> Maak ze niet schoon.
> Dat doen de kakkerlakken 's nachts wel.

Maar volgens mij zijn ze hier altijd wel kleiner dan in Nederland. Hé, kom op, zullen we weer gaan? We kunnen nog net
even zwemmen voor het donker wordt.'
Er waren een heleboel kinderen bij de rivier. Sommigen hadden
zeep bij zich en waren zichzelf aan het wassen. Anderen waren
aan het spelen met zelfgemaakte houten bootjes, sprongen van
de steile oever in het water, of lieten zich over de klei naar beneden glijden. Elisa was er ook, en Yoesoef, en Rafaëls zusje Sari.
Terwijl de zon achter de bomen wegzakte, duwden ze elkaar uit
de prauw in het water, bekogelden elkaar met modder en deden
zwemtikkertje. Totdat een grote motor begon te dreunen en in
de huizen de lichten aangingen.

In de verte klinkt geblaf van een hond. Een andere hond, vlakbij,
blaft hard terug. Overal beginnen nu honden aan te slaan.

Een nachtelijke vergadering? Jesse heeft zijn leven lang al gehoopt op een hondje. En hier zou hij er een krijgen, heeft papa gezegd. Maar hij is er niet zo zeker meer van dat hij er een wil. De honden die in Boma rondlopen zijn de smerigste, lelijkste honden die hij ooit gezien heeft. De een is nog kaler dan de ander. Onverzorgd. Onopgevoed. Ze lopen overal. Poepen op het gras. Snuffelen rond op de veranda. Om te zien of er nog wat te halen valt, zeker.

'Ik wil een hek om de veranda', heeft mama gezegd. 'Of om de tuin. Nog beter. Dan lopen al die mensen ook niet meer door onze tuin.'

'Geen hek', zei papa. 'Dat kan echt niet. We zijn hier voor de mensen.'

'Kan me niet schelen. Ik wil niet dat Bob gebeten wordt.'

'De mensen bijten hier niet.'

'Haha. Door een hond bedoel ik. En stel je voor dat hij naar de rivier rent? En in het water valt? Ik wil een hek.'

Mama heeft wel gelijk. De hele tijd lopen er mensen door de tuin. Vlak langs hun huis. Ze kijken nieuwsgierig naar binnen. Ze blijven even staan. Vanmiddag gingen er zelfs een paar vrouwen op de veranda zitten. Zomaar! Alsof het hún veranda was.

Er kwamen mensen met papa praten. De dominee. De timmerman. De postbode. Het hoofd van de kampong. Lange gesprekken waren het. En dan waren er de mensen die werk zochten. Ze wisten wel dat ibu Maria hier werkte, maar er was vast ook wel iemand nodig om de was op te vouwen. En iemand om brood te bakken.

Bapak Johannes is ook langs geweest. Als er klusjes waren, hoefde Jesses vader het maar te zeggen. En zocht hij misschien nog iemand om gras te kappen en om mooie bloemen te planten, rode en gele en blauwe?

Jesse is helemaal vergeten om papa voor hem te waarschuwen. Die Bapak Johannes ziet er heel aardig uit. Maar ondertussen heeft hij wel mooi zijn vrouw doodgeslagen. Misschien niet echt slim om zo iemand met een kapmes in je tuin laten werken ...

Het geblaf is gestopt. Jesse draait zich op zijn zij. Hij moet slapen. Waarom lukt het nou niet? Moeilijke sommen bedenken. Dat helpt altijd. Zevenhonderdvierenvijftig min driehonderdachtennegentig. Of honderdvijfendertig min vijf keer zeventien ...

Van buiten klinkt geritsel. De wind door de bamboebladeren.

Of nee – het klinkt anders.

Het klinkt alsof er iets is. Iets. Een rat. Of een hond, op zoek naar eten. Het geritsel stopt. En dan begint het weer.

Een slang. Of een krokodil? Jesses hart begint te bonzen. Hij is altíjd al bang geweest voor krokodillen. Ook in Nederland. Dat ze onder zijn bed zaten. Terwijl er in Nederland helemaal geen krokodillen zijn. Hier zijn ze wel. En ze komen dus ook wel eens de oever op, 's nachts. Rafaël heeft het zelf gezegd.

Jesse gaat overeind zitten. Hij pakt zijn bril van de plank boven zijn bed en hij voelt naar zijn zaklamp. Waar heeft hij hem nou gelegd? Niet op de plank. Niet onder zijn kussen. Op de grond? Hij duwt zijn klamboe opzij en stapt uit bed. Geluidloos sluipt hij naar het raam. Hij schuift het gordijn een heel klein stukje opzij. Door het gaas heen kijkt hij naar buiten. Hij ziet niets. Helemaal niets. Geen rat. Geen slang. Geen krokodil. Alleen de maan. En de donkere silhouetten van de bomen en struiken.

Jesse blijft staan. Hij knijpt zijn ogen tot spleetjes. Hij dacht echt dat hij wat hoorde. Maar er is niets te zien. Niets te horen. Hij wacht nog even. Dan laat hij het gordijn los. Op zijn tenen sluipt hij terug naar zijn bed en kruipt onder zijn klamboe.

Waar maakt hij zich druk over? Alsof een krokodil door de deur heen zou kunnen komen. Of door het raam.

Langzaam loopt de spanning weg. De slaap kruipt Jesses lichaam binnen. Zijn armen en benen worden zwaar. Zijn gedachten schieten heen en weer. Veranderen in bijna-dromen. Maar dan ineens, vlak voor de slaap toeslaat, hoort hij het weer. Geritsel. Vlakbij. En iets anders. Het lijkt wel een kuchje. Jesse is ineens weer klaar wakker. Hij schiet overeind. Dit is niet iets. Dit is iemand ...

6 Vampiers

'Jesse! Jesse, word wakker!'
Jesse schiet overeind. Hij wrijft in zijn ogen. Nikki staat naast zijn bed.
'Het is al zes uur', zegt mama. 'We moeten eten! Je moet eruit komen.'
Jesse kreunt. 'Ik wil niet.'
'Maar het moet, zegt mama.'
Met zijn ogen half dicht stapt Jesse zijn bed uit. Hij heeft het gevoel dat hij slaapwandelt. In zijn boxershort loopt hij naar buiten, zijn bril in zijn hand. De badkamer staat achter het huis. Het is een oud houten gebouwtje, donker en klam. De vloer is van beton dat vol butsen en gaten zit. Langs de muur staan grote olievaten met water. Regenwater. Om de wc mee door te spoelen. En om jezelf mee te wassen.
Jesse plenst wat water in zijn gezicht. Hij rilt als het langs zijn lichaam druipt. Koud. Veel te koud. Hij droogt zich af met een mufruikende handdoek en zet zijn bril op. Langzaam loopt hij terug naar de keuken. Hij laat zich op een stoel neerzakken.
'Ook goeiemorgen', zegt papa opgewekt. 'Lekker geslapen?'
Jesse verbergt zijn gezicht in zijn handen. Wat is hij moe. Hoe laat is hij in slaap gevallen? Hij heeft geen idee. Maar de hanen begonnen al te kraaien.
Er was iemand. Hij weet het zeker. Er was iemand in hun tuin vannacht. Moet hij er wat over zeggen? Misschien kan hij beter

eerst met Rafaël praten. Vóór hij papa en mama ongerust maakt.

'Mam! Dit brood is veel te plakkerig. Kijk, hier.' Nikki doet haar mond wijd open en wijst naar haar gehemelte. 'Zie je het?'

'Nikki!' zegt mama streng. 'Doe je mond dicht en slik je brood door.'

'Maar dat kan niet! Het zit vast.'

Jesse neemt een slok lauwe melk. Een klont melkpoeder valt uit elkaar in zijn mond. Knarst tussen zijn tanden. Bah. Vies. Alles is hier vies. Zelfs de melk.

Terwijl papa uit de Bijbel voorleest, kijkt hij naar buiten. Naar de grote schepen, die aangemeerd liggen in de monding van de rivier. Naar een paar kindertjes die voorbij komen rennen. Naar de tuin, die er in het zonlicht zo vriendelijk uitziet.

Papa staat op. 'Ik ga die koelkast aansteken', zegt hij.

'Heel graag', zegt mama. 'Dan ga ik yoghurt maken.'

'Mag ik naar buiten?' vraagt Nikki.

Mama knikt. 'Ga maar lekker spelen, jullie. We gaan vandaag nog niet beginnen met school. En kijk uit voor slangen, oké? Hé, en niet naar de rivier!'

Nikki is al weg.

Mama kijkt achterom. 'Jesse, trek even wat aan. Anders word je overal gestoken.'

'Ik ben al overal gestoken', gromt Jesse. Hij krabt aan zijn benen. Ze zitten onder de muggenbulten. Net als zijn armen. Zijn nek. Zijn buik. Hij sjokt naar de slaapkamer. Op de grond ligt een open koffer, vol kleren. Hij trekt er een shirt uit, een korte broek. Een kakkerlak schiet onder de klep vandaan. Hij rent weg en verdwijnt onder een kast.

Jesse trekt zijn broek aan. Hij aarzelt even. Dan laat hij zich weer op bed vallen. Hij is moe. Doodmoe. Hij zou zo in slaap kunnen vallen.

Van buiten klinkt geroep van kinderen. Geplas van water. Een haan die kraait, en nog één en nog één. Mama, die met iemand aan het praten is. Gebonk alsof er iets zwaars op de veranda wordt gezet. De hordeur, die piepend opengaat. En ver weg, in het bos, het gebrom van een motorzaag.

Zonlicht dringt door de gordijnen heen de kamer in. De kamer is gehuld in een zachtgele gloed. Jesse legt zijn handen onder zijn hoofd. Als de verhuisdozen aankomen, kan hij het hier misschien gezellig maken. Met zijn eigen spullen. Zijn kasteelposters in plaats van die oude, lelijke vliegtuigposters. De foto van de klas. Een grote mand met *Zo zit dats*. Boeken. Zijn zelfgebouwde kasteel met de kanonnen die echt kunnen schieten. En andere gordijnen natuurlijk. Hij moet aan mama vragen of ze andere gordijnen voor hem wil maken. Dit kan echt niet. Baby-Donald!

Een mug zoemt zijn oor binnen. Jesse slaat ernaar. Hij mist. Pas nu ziet hij het. De klamboe zit helemaal vol muggen. Dikke, volgezogen muggen. Vampiers. Hoe zijn ze hier binnengekomen?

De deur gaat zachtjes open. Mama? Jesse glimlacht. Eindelijk. Eindelijk komt mama kijken hoe het met hem is.

Maar het is mama niet die om de hoek van de deur kijkt. Het is ibu Maria. Ze heeft een bezem in haar hand. Jesse schiet geschrokken overeind. Ibu Maria schrikt ook. Ze doet snel de deur weer dicht.

Jesse is zijn bed al uit. Boos loopt hij naar buiten. Dus overdag rustig in bed liggen kan hier ook al niet.

'Mam!'

Mama is niet op de wasplaats. Niet in de woonkamer. Niet in de keuken.

'Maham!'

'Ik geloof dat ze weg is', klinkt de stem van papa.

Jesse kijkt achter de bar die de keuken van de eetkamer scheidt. Daar zit papa op handen en knieën bij de roestige, stokoude koelkast. Hij heeft er een la onder uit getrokken. Met een handpomp vult hij hem met petroleum.

'Pap, ibu Maria was in mijn slaapkamer.'

'Mmm.' Papa schroeft de dop dicht en steekt een lont aan. Een hoge vlam flakkert op. Papa schuift de la weer onder de koelkast. En hij gaat op zijn rug liggen om naar de vlam te kunnen kijken.

'Te hoog', mompelt hij. 'Te geel.'

Dan komt hij overeind. 'Jesse, kun jij kijken naar de vlam? Terwijl ik draai? Hij moet blauw zijn.'

'Wil je de koelkast in brand steken?'

'Nee. Ik wil hem koud krijgen.'

'Nou, dan zou ik dat vuur maar uitdoen.'

'Jesse.' Papa kijkt vermoeid. 'Dit is een koelkast die op petroleum werkt. Help me nou even, oké?'

'Mart!' Er klinkt paniek in mama's stem. Papa springt op. Hij rent naar de veranda. Jesse gaat achter hem aan.

Daar staat mama, met Bob op haar arm. Naast een man in een gescheurd T-shirt. Over zijn schouder hangt een boog. Hij heeft iets vreemds in zijn hand. Iets groots. Iets bloederigs.

'Ah, een varkenspoot', zegt papa blij. 'Dat is mooi. Heb je hem al gewogen?'

'Ik ga dat ding niet aanraken!' zegt mama. 'Echt niet.'

De Kamikaze Kakkerlak
Een nogal trieste kakkerlak. Hij heeft
vleugels, maar geen richtingsgevoel. Hij
vliegt alle kanten uit, botst overal
tegenaan, blijft even versuft zitten en
vliegt dan weer weg. Als het even kan
probeert hij in je haar te gaan zitten.

Papa stapt de veranda af. Hij praat met de man. Hij hangt de
varkenspoot aan de weeghaak. Hij spreekt een prijs af. En dan
draagt hij de poot de veranda op. De kamer door. De keuken in.
Een spoor van bloed druppelt op de vloer.
'Kijk nou wat je doet!' roept mama, 'Dit is smerig! Overal var-
kensbloed.'
'Tja', zegt papa. Hij laat de poot met een dreun op het aanrecht
vallen. 'Er is hier helaas geen supermarkt.'
'We worden vegetariër.'
Papa trekt de harige poot bij de hoef omhoog. Bloed druipt op

Dokter,
we zijn zo
somber de
laatste tijd...

het aanrecht. 'Ben jij gek. Veel te lekker, vlees. En dit varkentje heeft een prachtig leven gehad. Weet je dat sommige vrouwen hier hun varken de borst geven?'

'Wat?' Mama huivert. 'Ik ga over m'n nek. Wat een smerig verhaal. Ik ga niet in dat beest snijden. Je doet het zelf maar. Een varken dat borstvoeding heeft gehad.'

Papa grinnikt. 'Ik zeg niet dat dít varken borstvoeding heeft gehad. Vast niet. Ik bedoel alleen maar dat de mensen hier heel veel van hun varkens houden.'

'Waarom maken ze ze dan dood?' snuift mama. 'Nederlanders eten hun honden toch ook niet op?'

'Oké, oké. Ik zal het vlees snijden. En ik draai er gehakt van. Kun je niet meer zien dat het een varken is geweest. Hé, Jesse. Heb je het gezien? Onze eerste varkenspoot. Wil je voelen? Hij is nog warm.'

Jesse schudt zijn hoofd. Nee. Hij hoeft niet te voelen.

'Jesse! Hé, Jesse!'

Jesse kijkt op. Rafaël komt de tuin in rennen. 'Hoi. Hé, ga je mee? We gaan beginnen met je cursus.'

7 Evenwichtsbalk

'Dus er was iemand?' zegt Rafaël, kauwend op een stervrucht. 'Bij jullie in de tuin?'

Jesse knikt. Voorzichtig loopt hij over een halfvergaan bruggetje. 'Echt waar. Ik heb het gehoord. Ik dacht eerst dat het een beest was.'

'Dat zou heel goed kunnen, weet je. Dat het een hond was. Of een kikker.'

'Het *kuchte*!'

'Aha! Dan was het vast Yakoeb. De postbode. Die kucht altijd. En hij rochelt. En spuugt. Zodat je weet dat hij er is, snap je? Omdat je hier geen deurbel hebt.'

'O ja, en die komt altijd midden in de nacht de post bezorgen?'

Rafaël aarzelt. 'Nou, midden in de nacht ... Maar hij is altijd wel heel vroeg. Halfzes of zo. Als het net licht begint te worden.'

'Het was echt geen halfzes hoor. De generator was nog niet eens een uur uit. Het was hartstikke donker.'

Jesse is even stil. Dan zegt hij eindelijk wat hem vannacht wakker heeft gehouden. 'Misschien was het die crimineel wel.'

'Crimineel?'

'Ja! Die vent die z'n vrouw heeft doodgeslagen!'

'Wát? Bedoel je Bapak Johannes?' Rafaël kijkt hem ongelovig aan. 'Dat meen je toch niet? Bapak Johannes is geen crimineel. Echt waar. Het is mijn tweede opa, man. Ik bedoel, mijn derde opa. Mijn Papoea-opa. Die man doet geen vlieg kwaad.'

'Duhuh. Hij heeft wel effe z'n vrouw doodgeslagen.'

Rafaël rolt met zijn ogen. 'Dat was niet expres. Dat was een ongeluk.'

'Ja hoor.'

'Echt. Zal ik het hem vragen? Of hij vannacht langs jullie huis is gekomen?'

'Nee! Nee, niet doen! Je moet niks tegen hem zeggen.'

'Echt waar, Jesse, het is hier hartstikke veilig. Je moet je hele-maal geen zorgen maken. Ze zouden je nooit iets doen. Het kan best dat je iemand gehoord hebt. Maar die liep dan gewoon door jullie tuin om de weg af te steken. Dat gebeurt zo vaak. Bij ons ook.'

'Dat is toch raar! Ik ga toch ook niet door iemand anders z'n tuin lopen, midden in de nacht?'

'Ja. Hèhè. In Nederland doe je dat niet. Maar hier doet iedereen het. Echt waar. Is heel gewoon.'

Het volgende bruggetje is niet meer dan een bamboestam. Beneden, in het water, liggen de brokstukken van de oude brug. Jesse blijft staan. Hij bijt op zijn lip. Een evenwichtsbalk. Als hij ergens niet goed in is ... Hij kan er niks aan doen. Mama zegt het zelf. Het komt door zijn bril.

'Hé, kijk!' zegt Rafaël opgewekt. 'Daar loopt Yoesoef. Kom op, we gaan hem inhalen. Yoesoef! Wacht even!' Hij rent over de bamboestam naar zijn vriend toe.

Jesse loopt voorzichtig achter hem aan. Niet naar het water kijken. Niet naar dat veel te dunne, veel te ronde stammetje kijken, dat op en neer veert als een stuk elastiek. Oeps. Hij glijdt bijna uit.

Jesse zwaait met zijn armen. Eén seconde lang denkt hij dat het gaat lukken. Maar dan verliest hij zijn evenwicht. Op handen en knieën belandt hij in de modder. Boven zich hoort hij iemand heel hard lachen. Yoesoef.

Jesse krabbelt op. Hij pakt zijn bril uit de modder. En zijn sandaal. Hij trekt zichzelf omhoog aan een pol gras. Hij weigert Rafaëls hand. Hij ziet het heus wel. Rafaël moet ook lachen. Ja hoor. Héél grappig. Heel grappig als iemand van een boomstam in de modder valt.

'Gaat het, Jesse?' vraagt Rafaël grinnikend.

Jesse antwoordt niet. Hij doet zijn andere sandaal ook uit en stapt de bamboestam weer op. Zonder een moment te aarzelen loopt hij eroverheen. De andere kant op. Terug naar huis.

'Hé!' roept Rafaël. 'Wacht nou even! Waar ga je naar toe? We moeten díe kant op voor de junglecursus.'

Jesse snuift. Laten ze het lekker zelf uitzoeken met hun stomme junglecursus. Hij doet niet meer mee.

'Wat is er met jou gebeurd?' vraagt mama.

'Niks.' Boos gooit Jesse zijn vieze sandalen op de veranda. Hij trekt zijn bemodderde T-shirt uit en loopt door de keukendeur naar buiten toe, naar de badkamer achter de wasplaats.

'Ben je gevallen?'

Jesse antwoordt niet. Hij gooit de deur achter zich dicht en trekt de rest van zijn kleren uit. Hij spoelt zichzelf helemaal af met koud water en maakt zijn bril schoon. Met een handdoek om zijn heupen loopt hij naar zijn slaapkamer. Hij trekt schone kleren uit zijn koffer. Stomme Rafaël. Stomme Yoesoef. Stomme bruggetjes. Stomme junglecursus.

'Jesse', klinkt Rafaëls stem door het gaas heen. 'Ben je daar?'

Jesse antwoordt niet.

'Sorry.'

Jesse zegt niets.

'We wilden je echt niet uitlachen.'

Jesse trekt het gordijn open. 'Laat me met rust.'

'Mogen we even binnenkomen?'

'Nee.'

Jesse laat het gordijn weer dichtvallen. Hij stapt in zijn broek. Hij trekt een schoon hemd over zijn hoofd. En dan gaat de deur ineens open. 'Hé, Jesse ...'

Geërgerd draait Jesse zich om. 'Wát!'

Rafaël schuifelt met zijn voeten. Hij kijkt onder zijn lange haar door. 'Eh ... Yoesoef bedoelde het echt niet vervelend. Eerlijk waar. Hij moet gewoon wel lachen als je valt. Of als je je pijn doet. Want dat hoort hier. Doen ze bij mij ook altijd. En bij elkaar. Ze willen niet dat iemand voor gek staat. Dat vinden ze zielig. En daarom gaan ze maar lachen. Dan lijkt het niet zo erg.'

'Jij lachte ook.'

'Per ongeluk. Omdat Yoesoef lachte. Maar echt niet omdat het grappig was.' Rafaël kijkt naar de grond. Hij perst zijn lippen op elkaar. Er komt een gesmoord geluid uit zijn mond.

'Hé! Je lacht wéér.'

'Niet!'

'Wel.'

'Niet.'

'Wel. Ik hoorde het. Je lachte.'

'Echt niet.' Rafaël leunt tegen de muur aan, zijn armen over elkaar. Hij kijkt Jesse aan. Zonder te lachen. 'Kom je mee? Dan gaan we beginnen met de cursus. En je bent alvast geslaagd voor bamboebrug lopen. Oké?'

Kampongkip is taai

Gelukkig proef je dat niet al te erg,
omdat er maar zo weinig vlees aan zit.
Maar kun je het toch niet wegkrijgen?
Snijd het vlees in kleine stukjes.
Leg het in een papje van citroensap,
mosterd, tomatenketchup en suiker.
Laat het dan een uur pruttelen.
Kun je het nog steeds niet wegkrijgen?
Draai de kip de volgende keer dan
meteen door de gehaktmolen.

Jesse haalt diep adem. Kom op. Niet zo kinderachtig doen. Dit zijn z'n vrienden. Of hij ze nu leuk vindt of niet. 'Oké.'

In de schaduw van een paar kokospalmen zitten drie jongens gehurkt op de grond. Koeman, een stevige, donkere jongen met grote, bruine ogen en een ernstig gezicht. 'Eigenlijk heet hij Ronald Koeman', legt Rafaël uit. 'Ronald Koeman Besagi. Maar iedereen noemt hem Koeman.' Naast hem zit Yagya, mager, met bijna rossig haar en een hemd dat uit een meelzak gemaakt is. *20 kilo bloem* staat erop. En dan Elisa nog, die gisteren meedeed met zwemmen.
'Saudara-saudara', zegt Rafaël plechtig. 'Broeders. We zijn hier bij elkaar omdat Jesse de geheimen van het oerwoud moet weten. Het is een belangrijke taak. Zonder ons is Jesse reddeloos verloren als hij neerstort. Of verdwaalt. Of afdrijft met de

prauw. Of als er een geheimzinnige ziekte uitbreekt en alle volwassenen gaan ineens dood.'

De andere jongens knikken ernstig. Alsof zulke dingen dagelijks gebeuren.

'Je moet weten wat voor planten je kunt eten', gaat Rafaël verder. 'En wat voor dieren. Welke slangen giftig zijn en welke niet. Hoe je een bivak moet maken om te overnachten. Welke bladeren helpen als je malaria krijgt. Nou ja, alle dingen die iedereen weet. Dus de komende tijd gaan we dat allemaal vertellen. En ondertussen moet je opdrachten doen.'

Rafaël haalt een opgevouwen papiertje uit zijn zak. 'Hier staan ze in. Als je dit hebt gedaan, weten we zeker dat je kunt overleven in de jungle. En dan ben je lid van onze club.'

Jesse vouwt het papier open. Hij duwt zijn bril tegen zijn neus aan en leest.

Heb ik weer!
Zit je net lekker
in bad!

sago eten
sagopap eten
sagorupsen eten
palmboom klimmen
prauwen (staand)
een beest doden
een nacht op bivak
een meesterproef om te
bewijzen dat je moed hebt

En dan ben je voor altijd lid!!

Er is met potlood in snelle, slordige letters iets onder gekrabbeld.

ook nog over een bamboebrug
lopen

Mandibak

Kijk altijd even in het mandibakje vóór je
water over jezelf heen gooit.
Er kan kikkerdril in zitten.
Of een kikker.

Jungletips van Wemke Venema:

1. Kijk altijd onder de wc-bril, voor je
erop gaat zitten.
Er kan een kakkerlak onder zitten.
Of een spin.
Of een kikker.

2. Ruim je zeep op in een dicht bakje
en doe er ook nog een elastiek
omheen.
Anders hebben de muizen feest.

3. Fluit als je bang bent in het donker.

8 Snotpap

Levende rupsen eten? Een beest doden? Een nacht op bivak? Jesse schraapt zijn keel. En dan, nog vóór hij weet wat hij wil zeggen, rollen de woorden zijn mond al uit.

'Kunnen we niet gewoon een ridderclub oprichten? Is volgens mij veel leuker, een ridderclub. Echt waar. Ik weet alles van ridders. Ik kan jullie plaatjes laten zien. En een film, ik heb ook een film. We kunnen bij mij in de tuin een kasteel maken, met hout. En dan kunnen we met pijlen schieten. En we kunnen waterballonnen uit de bomen gooien, dat zijn dan onze bommen.'

Jesse zwijgt. Hij voelt zich alsof hij honderd meter heeft hardgelopen. Zijn gezicht gloeit. Er lopen druppels over zijn rug. De jongens kijken elkaar even aan. Dan beginnen ze druk met elkaar te praten in een onbegrijpelijke taal. Het is geen Indonesisch, in elk geval. Rafaël bemoeit zich er ook mee. Hij maakt gebaren met zijn handen, hij tekent met een stokje een kasteel in het zand, een ridder, een paard. Er worden hoofden geschud, afkeurende geluiden gemaakt.

Dan is het ineens weer stil. Rafaël legt zijn handen op zijn knieën. Hij kijkt Jesse aan van onder zijn lange haar. 'Ja, maar Jesse, dat kan niet. Hier zijn geen ridders. Nooit geweest ook. Dus waarom zouden we een ridderclub doen?'

Jesse haalt zijn schouders op. 'Gewoon. Omdat ik misschien helemaal geen zin heb in al die stomme opdrachten van jullie.'

'Ah, kom op', zegt Rafaël. 'Het valt echt heel erg mee.' Hij pakt het papiertje en vist een potlood uit zijn broekzak. 'Kijk, deze kunnen we alvast doorstrepen. *Over een bamboebrug lopen.*'

'Pff. Die heb je er zonet bij gezet.'

Rafaël kijkt betrapt. 'Eh ... nou ja, oké. Maar ik was het eigenlijk vergeten. Het hoorde er wel bij. Het is heel belangrijk, hoor. Dat je dat kan. Hé, maar weet je wat? Als we nou afspreken dat je één opdracht mag laten zitten. Iets dat je écht niet wilt. Dat hoef je dan niet te doen. En dan mag je toch lid worden.'

'Oké', zegt Jesse. 'Dan ga ik dus niet op bivak.' Die sagorups, daar komt hij wel overheen. Hij heeft het vaak genoeg op de tv gezien, mensen die levende wormen opeten. Of kevers. Of maden. In zo'n programma waarin ze enge dingen doen om een prijs te kunnen winnen. Gewoon, niet nadenken, maar in je mond stoppen en doorslikken. Dat moet lukken. En als hij een sagorups opeet, heeft hij ook gelijk een dier gedood, toch? En anders kan hij altijd een kakkerlak of een duizendpoot plat-slaan. Maar een hele nacht ergens in het pikkedonker gaan kamperen ... dat nooit.

'Niet op bivak?' zegt Rafaël teleurgesteld. 'Maar dat is juist het leukst! Nou ja, daar kunnen we het altijd later nog over hebben. Wat wil je eerst? Een palmboom beklimmen?'

'Nee, sago eten', zegt Yoesoef.

'Ja!' roept Elisa. 'Sago! Hij moet sago eten.'

'Sagorupsen', zegt Koeman.

'Nee. Eerst sago. Want sago komt eerst. Daarna komen de rup-sen.'

'Ik ga wel wat halen', biedt Yoesoef aan. Hij springt op en rent weg, onder de palmbomen door, naar het pad dat naar de kam-pong leidt.

Een paar minuten later komt hij voorzichtig teruglopen, een geknoopte tas op zijn rug, een plastic bak in zijn handen.

'Ik heb ook *papeda* meegenomen', zegt hij. Hij zet een bak op de grond waarin een wittige, doorzichtige vloeistof zit, die nog het meest op behangplaksel lijkt. Of op gel.

'Wij noemen het altijd snotpap', zegt Rafaël. 'Maar daar smaakt het niet naar, hoor. Het is best lekker. Ze maken het van sago.'

Met een vies gezicht kijkt Jesse naar de bak. Snotpap. Aantrekkelijke naam.

Yoesoef haalt een lepel uit de achterzak van zijn broek. '*Tjoba*', zegt hij. 'Probeer maar.'

Jesse steekt de lepel in de pap en brengt hem naar zijn mond. Maar de papeda loopt er meteen weer af. Iedereen lacht.

'Het is een beetje lastig', geeft Rafaël toe. 'Je moet er met je mond vlak boven gaan zitten. Anders valt het steeds van je lepel af.'

Jesse gaat op zijn knieën zitten en buigt zich over de bak heen. Hij wacht heel even om moed te verzamelen. Dan steekt hij zijn lepel in de papeda en brengt hem snel naar zijn mond. Iets glibberigs glijdt over zijn tong. Iets slijmerigs. Iets snotterigs. Niet zout. Niet zoet. Bijna smaakloos is het. Mislukte pudding.

'Je moet het wel doorslikken, natuurlijk', zegt Rafaël.

Jesse slikt. Hij huivert als hij de koude papeda naar beneden voelt glijden.

'En?' vraagt Elisa.

Het lijkt Jesse het beste om maar beleefd te zijn. 'Heel lekker.'

Als je van kikkerdril houdt, tenminste. Snel neemt hij nog een paar happen. Dan geeft hij de bak terug aan Yoesoef. Gelukkig. Dat is achter de rug.

Yoesoef geeft hem de bak terug. 'Alles opeten.'

'Alles?' Jesse kijkt even in de bak. Er zit nog veel te veel in. Dat kan hij nooit op. Hij voelt zich nu al misselijk worden. 'Echt niet. *Bagi-bagi*. Samen delen.'

Rafaël grijnst. 'Vind je het niet lekker?'

'Niet echt, nee.'

Rafaël zet de bak aan zijn mond en slobbert er een paar grote slokken uit. Dan geeft hij de bak aan Koeman. Die begint er snel van te eten.

'Ik had honger', zegt hij tussen twee happen door. 'Ik had niks gegeten vanmorgen. De sago is op. Mijn vader heeft mijn moeder door de muur heen geslagen.'

De andere jongens lachen alsof het een goeie grap is. Maar Jesse is geschokt. 'Wát? Waarom?'

'Omdat de sago op was, natuurlijk.'

'Het is alleen maar een wandje van *gaba-gaba*[2], hoor', stelt Rafaël hem gerust. 'Niet van steen.'

'Ja, maar dan nog!' Jesse ziet het al voor zich. Stel je voor dat zijn vader zijn moeder zou slaan omdat het brood op was. Ook al ging ze níet door de muur heen.

'En nu?' informeert Rafaël. 'Hoe is het met je moeder?'

'O, goed. Ze heeft mijn vader ook een klap gegeven. En nu is ze naar de tuin. Dus over twee of drie dagen hebben we weer sago. Hoop ik.'

'We moeten straks vis gaan vangen', stelt Yagya voor.

'En je kunt wel bij ons slapen', zegt Elisa. 'Yoesoef, jij had toch sago bij je? Jesse moet nog sago eten.'

[2] de nerven van de bladeren van de sagopalm worden gebruikt voor de wanden van een huis

'O ja!' Yoesoef opent de geknoopte tas die hij op de grond heeft gelegd. Er zit een zwartgeblakerd stuk aarde in. Tenminste – daar lijkt het op. Yoesoef pelt de zwarte laag eraf. Er komt iets wits tevoorschijn. Het lijkt wel een beetje op opgedroogde klei.

Rafaël breekt er een stuk af en geeft het aan Jesse. 'Probeer maar.'

Jesse neemt een voorzichtig hapje. Gelukkig. Dat valt mee. De sago heeft een beetje een rooksmaak en is nogal droog en zanderig. Maar echt vies is het niet. En het is in elk geval beter dan die slijmerige snotpap.

'Het is nog lekkerder met pindakaas', zegt Rafaël met volle mond. 'Of met kaas. We maken wel eens sagotosti's, hè, Yoesoef? Maar dit is ook lekker, toch? Ik vind het beter dan brood. Eerlijk waar.'

'Maar hij heeft het allerlekkerste nog niet geproefd', zegt Yoesoef. 'De sagorupsen.' Hij grijnst van oor tot oor. 'En ik weet waar we ze kunnen vinden.'

He, gezellig..

..eindelijk weer eens samen uit eten!

64

Sagorupsen? Altijd lekker!

Levend of dood, rauw of gebakken, vermengd met sagopap of gewoon als voedzame snack tussen de maaltijden door.

Voor je op dit smakelijke hapje aanvalt, kun hem eerst even je oren laten schoonmaken.

Door zijn kleine, bewegelijke lichaampje kan hij in alle hoekjes en gaatjes komen.

Gun de rups zijn galgenmaal!

Mandibak

De mandibak is bedoeld om water uit te scheppen.

Ga er niet in zitten!

De rest van de familie moet zich nog minstens een week met datzelfde water afspoelen.

9 Goeie actie!

Jesse begint zijn bril te poetsen. Sagorupsen. Vandaag al? Mag hij niet éven een paar weken moed verzamelen?

'Aan de overkant van de rivier ligt een sagopalm van mijn oom-', begint Yoesoef. Maar dan zwijgt hij en kijkt achterom. Er komen allemaal kinderen langsrennen. En grote mensen. Opgewonden geschreeuw, gelach, blaffende honden. '*Roesa, roesa!*' wordt er geroepen. 'Een hert! Kijk daar! Er zwemt een hert in de rivier.'

'Een hert?' roept Yoesoef. Hij springt overeind. 'Kom op!'

Hij rent het pad af naar de rivier. De andere jongens hollen achter hem aan. Nog veel meer mensen rennen dezelfde richting uit. Over het pad tussen de sagopalmen naar de rivier toe. Er wordt geschreeuwd en gelachen. Het lijkt wel of de hele kampong uitgelopen is. Jesse zet zijn bril op en tuurt naar de rivier. Waar is dat hert? Hij ziet helemaal geen hert. Alleen een prauw met twee mannen.

'Daar!' wijst Rafaël. 'Vlak voor die prauw.'

Nu ziet Jesse het ook. Een kleine kop, die net boven het water uitkomt. Een van de mannen zet zijn voet op de voorrand van de prauw. Hij probeert het hert met zijn peddel een klap te geven. Jesse slaat zijn hand voor zijn mond. Wat is die vent aan het doen? Hij wil dat hert toch niet doodmaken?

'Kom mee', zegt Rafaël gehaast. Hij is al weg. Jesse holt achter hem aan. Hij struikelt over boomwortels, glijdt uit in de modder, krabbelt weer overeind, holt verder. Hijgend komt hij bij de oever tot stilstand. Vanaf de aanlegplaats in de bocht van de rivier komen nog meer prauwen aanvaren.

'Ze moeten hem insluiten', roept Yoesoef. Hij wipt heen en weer, van zijn ene voet op zijn andere. 'Anders ontsnapt hij. Waarom heb ik mijn prauw hier niet?'

'Ik ga mijn pijl en boog halen', roept Elisa. Hij rent weg.

Jesse balt zijn vuisten. Zijn ze gek geworden? Arm hert. Wat moet hij doen? Hoe kan hij het redden?

'Lieve God, alsjeblieft, laat dat hert de oever op klimmen en wegrennen. Alsjeblieft. Kunt U wat laten gebeuren, een bliksem of zo? Zodat iedereen weggaat?' Jesse kijkt omhoog. *'Of regen? Een heel erge regenbui?'*

Voor hem klinkt een plons. Rafaël springt met kleren en al het water in. Hij begint de rivier over te zwemmen.

Natuurlijk. Dat is het! Ze moeten naar het hert toe zwemmen. Op z'n rug klimmen. Hem naar de andere oever drijven. Die mensen gaan echt niet schieten als Rafaël en hij op z'n rug zitten.

Zonder zich te bedenken duikt Jesse het bruine water in. Als hij weer boven komt, is alles wazig.

O nee. Z'n bril. Hij is z'n bril kwijt. Wat nu? Heel even blijft hij watertrappen. Dan begint hij te zwemmen. Het heeft geen enkele zin om de bril te gaan zoeken. Het water is zo diep dat hij de bodem niet eens kan voelen. En het is veel te donker om iets in te kunnen zien. Wat zullen papa en mama boos zijn. Misschien kunnen de andere jongens hem helpen. Met een schepnet.

Het is zwaar zwemmen. De stroming trekt, en Jesse moet al zijn krachten gebruiken om vooruit te komen. Er slaat van alles tegen hem aan. Palmtakken. Een kokosnoot. Een stuk visnet.

Er klinkt geschreeuw achter hem. Geroep vanaf de rivier. En dan ineens ziet hij het hert. Vlakbij. Een kleine kop, die net boven het water uit komt. Angstige ogen. Oren die zenuwachtig heen en weer bewegen. *Stom beest. Stom idioot beest, heb je nou hersens of niet? Zwem terug! Naar de andere kant van de rivier. Klim op de oever! Verdwijn. Ren het bos in.*

Twee, drie prauwen komen aanvaren. Jesse ziet ze vanuit zijn ooghoek dichterbij komen. Hij zwemt zo hard hij kan. Hij moet tussen de prauwen en het hert in zien te komen. Zodat ze niet zullen schieten. Zijn hart bonkt in zijn hoofd. Zijn longen doen pijn. Zijn armen en benen zijn zwaar. Nog even volhouden. Nog een klein eindje. Waar is Rafaël nou? Hij kan het niet alleen!

Ineens is het hert vlakbij. Jesse steekt zijn hand uit. Hij wil de natte vacht vastgrijpen en zijn been over de rug van het hert heen slingeren. Hem bij zijn horens grijpen en hem dwingen om de andere kant op te zwemmen. Maar op het moment dat hij het hert aanraakt, schiet het weg. In de richting van de mensen die hem staan op te wachten.

Jesse krijgt van schrik een slok water binnen en gaat kopje onder. Proestend komt hij weer boven, maaiend met zijn armen en benen.

'Oké, Jesse!' klinkt een enthousiaste stem.

Jesse draait zich al watertrappend om. Daar staat Rafaël, druipend en lachend, aan boord van een prauw. Hij zwaait met beide handen.

'Bedankt! Goeie actie! Die hebben we!'

Jesse kijkt naar Rafaël, niet in staat om iets te zeggen.
'Hé', roept Rafaël. 'Maar waar is je bril?'

Jesse zwemt traag met de stroom mee. De zon lijkt te worden opgeslokt in het donkere water. Ver achter zich hoort hij mensen roepen en schreeuwen. Het hert is door de prauwen naar de kant gedreven. En daar is het meteen gevangen. En doodgemaakt, natuurlijk. Niet dat hij het heeft kunnen zien. Maar hij heeft het gehoord. De enthousiaste kreten, het gelach, het gejuich. Het hert is er niet meer. Het is afgeslacht. Was hij maar niet in het water gedoken. Dan had hij het misschien gered. Hoe kon hij zo stom zijn om te denken dat Rafaël hem wilde helpen? Dat ze samen het hert zouden redden? Rafaël wilde het hert helemaal niet redden. Hij wilde het vangen.

Beste allemaal uit mijn klas
Het is hier echt heel stom.
Weet je wat ze vandaag deden???
(Echt vet aso!!)
Ze gingen een hert doodmaken.
Hij zwom door de rivier.
Het arme hert probeerde nog weg te vluchten.
(ik ging hem helpen)
Maar met z'n allen gingen ze hem naar de kant drijven en doodmaken.
Ook de kinderen!!!
En volgens mij gaan ze hem vanavond opeten!!!
Ik ben mijn bril kwijtgeraakt in het water.
Ik ga aan mijn vader en moeder vragen of we terug kunnen.

Vliegjes in de thee
Geen probleem.
Gewoon opdrinken.
Een echte junglebewoner mist ze als ze
er niet in zitten.

Mieren in de suiker
Niks aan te doen.
Of misschien toch wel.
Bak de mieren mee in de cake.
Dat zal ze leren. Vuile vieze indringers.

Tenminste als ik ooit mijn vader en moeder nog zie want ik drijf nu in het water Boma uit.

Met een schok dringt het tot Jesse door. Hij drijft Boma uit! In paniek slaat hij zijn armen en benen uit. Hij lijkt wel helemaal gek geworden. Hij is veel te ver afgedreven. Er zijn nergens meer huizen te zien. Of mensen. Of prauwen. Hij is helemaal alleen. En niemand weet waar hij is.

Hijgend ploetert hij verder. De oever lijkt maar niet dichterbij te komen. Iets groots drijft op hem af. Iets donkers. Hij houdt even in. Een boomstam schiet hem rakelings voorbij.

Eindelijk is hij bij de oever. Hij trekt zich omhoog aan een struik en laat zich op de grond neervallen. Hij is kapot. Zijn armen, zijn benen, zijn rug, alles doet pijn. En hij heeft het koud. Verschrikkelijk koud. Hij komt overeind, trekt zijn T-shirt uit en

laat het naast zich neervallen. Hij begint zijn armen te wrijven.
Waar is hij ergens? Daar rechts, in de verte, moet het dorp zijn.
Maar hoe ver is dat? Misschien wel meer dan een kilometer. Hij
hoort hier ook helemaal niets meer. Geen stemmen. Geen
geblaf. Geen gekraai. Geen muziek. Alleen het gebrom van een
motorzaag, ergens ver weg.
Wat nu? Terugzwemmen gaat niet. De stroming is veel te sterk.
Hij zal moeten lopen. Door het bos. Maar hij heeft zijn bril niet
meer. Hoe kan hij ooit zien of iets een boomwortel is of een
slang? En hij is zo moe.
Langzaam trekken de warme zonnestralen zijn huid binnen.
Jesse blijft ineengedoken zitten en kijkt rillend uit over het
water. Er moet toch een kéér iemand langskomen ...

10 Koud

'Jesse! Hé, Jesse!'
Een golf van opluchting slaat door Jesse heen. Over het midden van de rivier komt een smalle prauw aanvaren. Er staan vijf jongens in, die snel naar hem toe komen roeien. Vier bruine en één witte. Moeizaam komt hij overeind. Alles doet pijn. Zijn armen, zijn benen, zijn rug, zijn buik, zijn hoofd.

De jongens leggen de prauw tegen de kant aan. 'Dus daar was je', zegt Rafaël. Hij steekt zijn hand naar Jesse uit. 'Spring erin, Jesse de Hertenjager. Sorry dat we je niet eerder zijn komen halen. We hadden het niet door. Ineens zei Yoesoef: waar is Jesse? We zijn eerst naar je huis gegaan en daar was je niet. En toen hebben we de prauw gehaald. Wat zie je er raar uit zonder bril.'

Jesse pakt zijn natte T-shirt en stapt voorzichtig aan boord. Rillend laat hij zich op een smal plankje zakken. Hij slaat zijn armen om zichzelf heen. Yoesoef duwt de prauw af, en ze maken een wijde bocht over de rivier.

'Stom hè, dat we je helemaal vergeten waren. Maar er was zo'n ruzie toen het hert gepijld was. Jammer dat je er niet bij was. Echt lachen, man. Iedereen zei dat het van hem was. De mensen die hem hadden opgejaagd, en de mensen van de kampong waar hij aan land kwam, en de mensen die hem gevangen hebben en de man die hem gepijld heeft. En weet je waar hij vandaan kwam? Achter jullie huis!'

'Wat! Echt waar? Zat hij achter ons huis?'

'Ja.'

Jesse knippert met zijn ogen. Langzaam dringt het tot hem door. Dat was het geluid dat hij vannacht gehoord heeft ... Het was geen mens. Het was een hert, dat zich achter hun huis verstopt had. Dat dacht dat het achter hun huis veilig zou zijn.

'Wij hebben gezegd dat jij ook een stuk moet', zegt Yoesoef.

'Een stuk?' Niet-begrijpend kijkt Jesse op.

'Een stuk van het hert!'

De gedachte alleen al maakt Jesse misselijk. 'Nee!'

'Houd je niet van hertenvlees?' vraagt Rafaël verbaasd.

'Nee, natuurlijk houd ik niet van hertenvlees!' Verontwaardigd kijkt Jesse naar Rafaël op. 'Snap je het dan niet? Ik wou dat hert helemaal niet opjagen. Ik wou hem *redden*!'

Rafaël trekt zijn wenkbrauwen op. Alsof hij verwacht dat Jesse elk moment in lachen kan uitbarsten. Maar Jesse lacht niet.

'Redden? Je wou het hert redden?'

'Ja. En ik dacht dat jij dat ook wou.'

'Eh ...'

'Je had moeten zien hoe dat hert keek. Helemaal bang keek-ie. Hij probeerde te vluchten. Hij probeerde z'n leven te redden. En wat doen jullie? Jullie gaan met z'n allen achter hem aan.'

Rafaël wil wat zeggen. Maar Jesse geeft hem de kans niet. 'Echt aso. Dat doe je toch niet? Een hert! Die kan niet eens wat terug doen. Als het nou een tijger was ...'

'Er zijn hier geen tijgers.'

'Een krokodil dan.'

'Die vangen ze ook. De mensen hier zijn heus niet bang, hoor. Als je dat bedoelt. Tjonge. Ik snap niet waar je zo moeilijk over doet. Ze hebben hier al zo weinig vlees. Komt er eindelijk eens een hert in Boma, mogen ze dat van jou niet eens schieten.'

Jesse zegt niets. Hij wil wel wat zeggen, maar het lukt niet meer. Het lijkt wel of alle energie plotseling weer uit hem wegstroomt. Hij begint te klappertanden.

'Wat is er?' vraagt Yoesoef. 'Ben je ziek?'

'Nee. Ik ben koud.'

'Dan moet je roeien', zegt Koeman. 'Dan word je warm.'

Jesse schudt zijn hoofd. Hij wrijft over zijn armen. 'Kunnen jullie mij naar huis brengen? Ik geloof – ik geloof dat ik me niet helemaal goed voel.'

'Maham! Niet in m'n kont.'

'Kom op, Jesse. Doe nou niet zo moeilijk.'

'Ik wil het niet.'

'Kom op, zeg. Ik ben je moeder! Ik heb die billen van jou wel eens vaker gezien.'

'Ik ben er te groot voor.'

'Jesse, je hebt koorts. Ik wil je temperatuur opnemen.'

Jesse gromt iets onverstaanbaars.

'Wát zei je?'

'Ik zei, dan doe ik het zelf wel. Als het per se moet.'

'Prima. Roep me maar als hij piept.'

Jesse wacht tot zijn moeder de kamer uit is. Dan wurmt hij de thermometer tussen zijn billen. Bah. Waarom hebben ze niet een thermometer voor in je oor? Of voor in je mond? Zoals bij zijn vriend Jeroen thuis? Niet dat hij déze thermometer ooit in zijn mond zou willen steken. Smerig.

Er klinkt gepiep van onder de lakens. Met een vies gezicht haalt Jesse de thermometer weer tevoorschijn. 'Mam? Hij staat op vierhonderdtwee. Is dat veel?'

'Wat?' Mama komt de kamer binnen. 'Laat eens kijken. Veertig komma twee. Ja, dat is veel. Hoe voel je je?'

Trouwens, volgens mij hebben we weer termieten.

Wat zeg je?

'Koud. Heb je een deken?'

Mama legt een hand op zijn voorhoofd, en dan in zijn nek. 'Jij moet helemaal geen deken, jochie. Je moet juist afkoelen.'

'Maar ik heb het zo koud!' Jesse kan bijna niet stil blijven liggen. Het kippenvel staat op zijn armen en benen.

'Goed, ik zal iets halen.'

Mama gaat de kamer uit. Jesse doezelt weg. Hij schrikt op als mama de klamboe omhoog trekt. Hij schiet overeind. 'Wat is er? Wat doe je?'

'Ik heb even een dekentje voor je gehaald.' Mama's stem klinkt net als vroeger. Heel lief. Ze legt een grote badhanddoek over hem heen. 'Sliep je?'

Jesse probeert na te denken. Sliep hij? 'Ik weet niet. Ik voel me zo raar, mam. Ben ik ziek?'

'Ja, je bent ziek.' Mama strijkt even over zijn wang. 'Ik ga even een pil voor je halen. Om de koorts te laten zakken.'

'Geen pil in m'n bil.'

'Nee, wees maar niet bang. Je krijgt een gewone pil.'

Jesse trekt de handdoek op tot zijn kin. Nikki komt zachtjes naar binnen. 'Jesse?'

'Ja?'

'Ben je nou heel erg ziek? Moet je naar het ziekenhuis? Moet je een operatie?'

'Nee.'

'Wil je Babyborn in bed?'

'Néé.'

'Maar wat was er dan gebeurd? Hoe was je dan ziek geworden?'

'Ik ging een hert redden. En toen was ik in het water gesprongen.'

'Echt?'

Mama komt binnen met een beker water en een pil. Ze breekt hem in twee stukjes. Jesse slikt hem door, neemt nog een paar extra slokken water en zakt weer terug in bed. Zijn ogen vallen meteen dicht, en hij raakt verstrikt in een spinnenweb van vreemde dromen. Hij zit op een tijger die door het bos rent, op zoek naar kinderen die hij op kan eten. En dan ineens vliegt hij hoog boven het oerwoud. Daar is Boma. Hij herkent de rivier. De huizen. De landingsbaan. Maar hoe moet hij landen? Hoe moet hij afremmen? En hoe moet hij sturen? Er zit geen stuur- knuppel in het vliegtuig. Ineens duikt hij naar beneden. De bomen en huizen komen met een duizelingwekkende vaart dichterbij. Maar nog voor de klap komt, zwemt hij al onder water, vlak boven de bodem van de rivier. Het is schemerig don- ker. Vissen glijden voorbij, kijken hem aan met starende ogen. Daar – een stoplicht. Een skelet op een paal. Dat betekent dat hij niet verder mag.

'Jesse? Jesse, word eens wakker.'

Moeizaam opent Jesse zijn ogen. Hij is kletsnat van het zweet. Zijn lakens en kussen voelen klam aan. Papa en mama staan bij zijn bed. Hun gezichten zijn vaag. Ineens herinnert Jesse zich wat er gebeurd is. 'Mijn bril ...' fluistert hij. 'Ik ben mijn bril kwijt.'

'Geeft niet', zegt papa. 'Mama heeft je oude bril al opgezocht. Hoe voel je je?'

'Warm.'

Papa geeft hem een beker water aan. 'De koorts is aan het zak- ken, daarom zweet je zo. Wil je wat drinken?'

Jesse slokt het water naar binnen. Hij veegt zijn mond af met de rug van zijn hand. 'Mag ik meer?'

'Straks. Mama moet je eerst even een prikje in je vinger geven.'

'Wat?' Snel stopt Jesse zijn handen onder zijn rug.

'Sorry, jochie. Het moet. We denken dat je malaria hebt.'

11 Malaria

Een prik, een paar pillen die een bittere smaak achterlaten,
een beker water. En dan valt Jesse weer in slaap. De dag
gaat in een waas voorbij. Af en toe is hij even wakker, drinkt
wat, probeert een poosje te lezen, maar valt dan weer in slaap,
zijn boek nog in zijn hand. Soms heeft hij het zo koud dat hij
zich in zijn handdoek moet wikkelen om warm te worden. Het
andere moment baadt hij in het zweet, en strompelt hij naar de
mandikamer om koud water over zich heen te gieten. Papa en
mama komen af en toe bij hem kijken. Nikki brengt haar knuf-
fels, die ook ziek zijn, en legt ze naast hem neer. Bob klimt bij
hem in bed om hem natte kusjes te geven, en wordt door
mama snel weer weggehaald. En weer valt hij als een blok in
slaap en wordt hij meegevoerd in een vreemde, koortsige
droomwereld.

Als het donker wordt en de generator aangaat, wordt hij met een
schok wakker. Hij voelt zich vreemd helder. Malaria ... Hij heeft
malaria. Of tenminste – hij hád malaria. Want nu heeft hij niks
meer. Alleen maar verschrikkelijke honger. En nog een beetje
spierpijn.

In de woonkamer hoort hij papa, mama, Nikki en Bob praten en
lachen. Er klinkt getik van bestek op borden, gerinkel van glazen. Ze zijn aan het eten.

Jesse grabbelt naar zijn reservebril, stapt voorzichtig uit bed en
doet de deur van zijn slaapkamer open. Daar zitten ze. Met z'n

vieren aan tafel. Alsof hij er niet bij hoort. 'Hé! Waarom hebben jullie mij niet geroepen?'

Mama kijkt verrast op. 'Ha, Jesse. Hoe gaat het?'

'Goed.'

Mama legt een hand op zijn voorhoofd. 'Je voelt lekker koel aan. Volgens mij heb je geen koorts meer. Wil je wat eten?'

Jesse knikt. Hij gaat naast mama zitten. Zijn maag rammelt. Maar op tafel staat tot zijn teleurstelling alleen een schaal met in elkaar gedeukte, witte boterhammen – mama's eerste zelfgebakken brood. En een pot jam, een pot pindakaas en een pot honing. 'Aaaah. Gaan we niet eens warm eten vandaag?'

'Dat hebben we vanmiddag al gedaan', zegt papa. Hij staat op en haalt een extra bord en een mes uit de keuken. 'Maar toen sliep je. Er is nog wel wat zuurkool over. Zuurkool met Smac. Zal ik het voor je opwarmen?'

Jesse haalt zijn neus op. 'Zuurkool met Smac? Nee! Doe dan maar brood.'

'Niet te geloven hoe snel jij bent opgeknapt', zegt mama. 'Goed dat we je dat medicijn hebben gegeven.'

'Dus ik had echte malaria?' Jesse pakt een boterham en smeert er pindakaas op.

'Dat weten we pas als de dokter die druppel bloed van je onderzocht heeft. Maar je bent zo snel opgeknapt na die pillen, het moet haast wel malaria zijn.'

'Echt waar?' Jesse neemt een flinke hap. 'Cool. Dat ga ik aan de klas schrijven. Malaria ... Daar kun je dood van gaan, hè? Wambo ging er ook bijna dood van. Wambo de jonge Papoea. Dat heeft meester voorgelezen. Echt vet, man. Dat ik dat heb gehad. En gelijk, de eerste week al.'

'Heel vet', zegt mama. 'Maar je gaat niet zo snel dood aan malaria, hoor. Weet je die pil, die jullie elke zondagavond in moeten nemen?'

Jesse knikt. Sinds ze in Indonesië zijn, krijgen ze een speciale, extra vieze pil, die ze met een hap yoghurt in moeten nemen. Nikki en hij zijn goeie pillenslikkers. Maar Bob niet. Bob spuugt zijn pil altijd weer uit. En dan stopt mama hem weer in zijn mond, en Bob begint te krijsen en spuugt hem weer uit, nu in kleine, slijmerige stukjes, maar mama stopt de stukjes allemaal terug in zijn mond. Net zolang tot hij de hele pil heeft doorgeslikt en eindelijk zijn snoepje krijgt, dat hij dan boos door de kamer smijt.

'Die pil beschermt je tegen malaria. Je kunt het dan nog wel krijgen, maar niet meer zo erg.'

'Nou, ik had het anders wel héél erg, hoor. Volgens mij. Ik was net zo ziek als Wambo de jonge Papoea.'

'Oké. Ik vind alles best. Als je maar niet met je mond vol praat.'

Er klinkt gepraat van buiten. Een klopje op de deur. Rafaëls vader kijkt om het hoekje. 'Mogen we even binnenkomen?'

'Hé, Herman. Rafaël. Tuurlijk, kom erin.'

'We wilden even kijken hoe het was', zegt oom Herman, terwijl hij zijn slippers uitdoet en bij de deur zet. 'Gaat het weer een beetje met de zieke?'

Jesse knikt met volle mond. 'Jawel.'

'Gelukkig. En Rafaël wilde wat zeggen, geloof ik.'

Rafaël zegt niks.

Oom Herman geeft hem een duwtje. 'Raf?'

Rafaël laat een diepe zucht horen. 'Oké, oké. Sorry.'

'Rafaël heeft me verteld over jullie club. En ik geloof dat hij je een paar dingen heeft laten doen die je niet zo leuk vond. Dus daar wou hij sorry voor zeggen.'

'En voor het hert', mompelt Rafaël, terwijl hij zijn armen inspecteert op muggenbulten.

'En hij vindt het ook vervelend voor je dat ze het hert gedood hebben.'

Mama staat op van tafel. 'Kom', zegt ze, net een beetje te opgewekt. 'Ik ga koffie zetten. Gaan jullie even lekker met z'n allen op de bank zitten. Gaat het nog, Jesse? Je gaat naar bed zodra je je weer moe begint te voelen, oké?'

Oom Herman laat zich naast zijn zoon op de bank bij het raam neerzakken. 'Ik heb met Rafaël afgesproken dat jij gewoon lid mag worden van die club', zegt hij. 'En dat je daar niks voor hoeft te doen. Geen sagorupsen eten, geen herten schieten, niks. Vanaf nu bén je gewoon lid van de club. Als je tenminste wilt. Oké?'

Jesse kijkt naar Rafaël, die onderuitgezakt naar het plafond zit te staren. Ook niet leuk voor hem dat hij zijn excuses aan moet bieden. Hij bedoelde het juist allemaal zo aardig. Jesse schraapt zijn keel. 'Ik eh ... ik vind het helemaal niet erg hoor, die opdrachten. Ik vind het juist cool. Allemaal van die jungledingen leren.'

'Echt', zegt Rafaël, zonder zijn blik van het plafond te halen. Het klinkt alsof hij er niets van gelooft.

'Eerlijk!' Jesse is even stil. Dan geeft hij toe: 'Oké, nou ja, niet alles vind ik leuk. Zoals een dier doodmaken vind ik niet leuk, en op bivak gaan ook niet, en dat ik staande moet prauwen, of in

Gefrituurde kakkerlak

Laat de pan met frituurolie niet open-
staan!
Kakkerlakken houden wel van een
zwempartijtje.
Jammer alleen dat ze daarna de pan
niet meer uit kunnen.
De volgende keer dat je oliebollen wilt
bakken, heb je gefrituurde kakkerlakken.

De giftige duizendpoot

Pas op voor de duizendpoot!
Hij is familie van de schorpioen.
Zijn voorste pootjes zijn gifklauwen.
Hij zet ze graag in je voet. Of arm. Of
welk ander lichaamsdeel hij maar kan
raken.
Het gif werkt verlammend.

een palmboom klimmen, dat kan ik toch nooit, dat weet ik nu
al.'
'Zie je wel?' gromt Rafaël. 'Hij vindt gewoon niks leuk.'
Zijn vader steekt zijn hand op. 'Wacht even, Raf. In een pálm-
boom klimmen? Hadden jullie Jesse in een palmboom willen

laten klimmen? Dat had je me nog niet verteld. Je weet wat voor afspraak we gemaakt hadden over in palmbomen klimmen.'

Rafaël rolt met zijn ogen. 'Pas als ik twaalf ben.'

'Zijn er ook dingen die je wel leuk vindt, Jesse?' vraagt mama. Ze zet een blad met bekers oploskoffie en limonade op het tafeltje neer en gaat naast papa en Jesse op de bank zitten. 'Dingen die je wel ziet zitten?'

'Tuurlijk wel', zegt Jesse. 'Ik vond sago eten heel leuk, en over een boomstam lopen, en eh ... andere dingen. En ik wil best wel een sagorups eten. En de heldenmoedproef doen. En zo.'

'De heldenmoedproef?' Eindelijk breekt er een lachje door op Rafaëls gezicht. 'Nog een keer? Die heb je vanmorgen al afgelegd, dombo.'

'Echt?'

'Ja, natuurlijk.' Rafaël gaat rechtop zitten. Van zijn boze bui lijkt weinig meer over. 'Dat je dat hert wilde redden en zo. En dat je zomaar Boma uit zwom. Dat was best dapper.'

Kom erin!
't Is heerlijk!

ff twintig
baantjes trekken,
en dan lekker
een frietje halen!

'Ik weet niet', zegt mama peinzend. 'Ik vind het eerder nogal gevaarlijk.'

'En dom', voegt papa eraan toe.

Rafaël trekt zijn wenkbrauwen op en krabt in zijn haar. Dan gaat hij verder. 'Trouwens, we hebben nog gedoken naar je bril, vanmiddag. Maar we konden hem niet meer vinden.'

'Maakt niet uit. Ik had nog een ouwe.' Jesse aarzelt even. Eigenlijk wil hij het niet eens weten. Maar hij moet het vragen. 'En, was het lekker? Het hert?'

'Geen idee. Ik heb mijn vlees weggegeven. Aan Koeman. Omdat ze daar geen sago hebben. Heeft-ie tenminste wat te eten, vandaag.'

'Hertenvlees is hier echt een traktatie', vertelt oom Herman. 'Verder naar het zuiden zitten veel herten. Hier komen ze bijna nooit. Ik kan me voorstellen dat de mensen nogal blij waren. Zo vaak eten ze geen vlees.'

'Daarom was er ook zo'n ruzie over', zegt Rafaël. 'Iedereen wilde van dat vlees. Dus ze kregen allemaal maar een heel klein stukje. Ze gingen elkaar bijna te lijf, man. Je had er bij moeten zijn.'

'Ja', zegt Jesse. Hij voelt zich ineens weer moe worden. 'Ik had er bij moeten zijn.'

12 Dan hoor je geen donder

Een korte, felle bliksemflits verlicht de donkere slaapkamer. Twee seconden erna volgt de donderslag. Zo hard dat het huis ervan meedreunt. Heel even is het stil. En dan ineens barst de stortbui los. De regen roffelt op het zinken dak, slaat tegen de muren, klettert over de goten heen op het cement.

Jesse sliep bijna. Maar nu is hij ineens weer klaarwakker. Met wijdopen ogen staart hij naar het wapperende gordijn. Tropische regenbuien heeft hij al vaak genoeg meegemaakt. In Bandoeng stonden regelmatig de straten onder, zodat het leek alsof ze in hun auto door een rivier heen voeren. Bij een flinke bui kwam het water soms door de muur heen hun huis binnenstromen. Maar zoiets als dit heeft hij nog nooit beleefd. Een regenbui die klinkt alsof er honderd mannen met hamers op het dak staan te beuken. De bliksemflitsen, achter elkaar door, die de kamer steeds opnieuw in een spookachtig, blauw licht hullen. Donderslagen die zijn bed laten schudden.

Het begint nog harder te regenen. Het lijkt wel of hun huis precies onder een waterval staat. Het lawaai is oorverdovend. De donder komt er maar nauwelijks bovenuit. Zou Bob niet wakker worden? En Nikki? Ze zijn vast bang. Misschien kan hij beter even een liedje voor ze zingen.

'Je hoeft niet bang te zijn
Al gaat de storm te keer ...'

Jesse zingt zo hard hij kan. Maar hij kan zichzelf niet eens horen. Hij gaat op zijn knieën in bed zitten, zet zijn handen aan zijn mond en brult tegen de muur waar Bob en Nikki achter liggen:

'LEG MAAR GEWOON JE HAND

IN DIE VAN ONZE HEER'

Goed liedje voor als het zo onweert. O, wacht even. Hij kent er nog een. Een versje dat Boris in zijn vriendenboek heeft geschreven.

'ALS DONDER EN BLIKSEM

IN 'T HOLST VAN DE NACHT

ZO OUD ALS JE BENT

JE VAN STREEK HEEFT GEBRACHT

GA NAAR JE BED

EN KRUIP ER GOED ONDER

DAN ZIE JE GEEN BLIKSEM

EN HOOR JE GEEN —'

Op dat moment danst er een lichtje zijn kamer binnen. Jesses hart slaat een slag over van schrik. Met een ruk trekt hij zijn klamboe open. 'Pap!' roept hij boos.

'Gaat het goed?' schreeuwt papa.

'Nee! Ik schrok me rot van jou!'

'Ik kwam even kijken hoe het was. Ik dacht dat ik iemand hoorde roepen.'

'Ikke niet hoor. Ik zong een paar liedjes.'

'WÁT?'

'IK! ZONG! EEN! PAAR! LIEDJES!!! Voor Bob en Nikki.'

Papa brengt zijn oor naar Jesse toe. 'WÁT ZEG JE??'

'LAAT MAAR.'

'WÁT?'

'Nihiks!'

'O.'

De klamboe valt naar beneden. Het lichtje danst de kamer uit. Jesse gaat weer liggen, zijn handen onder zijn hoofd. Het onweer lijkt wat minder te worden. Maar de regen klettert door. De gordijnen wapperen op tot aan het plafond, en Jesse voelt de druppels op zijn gezicht spetteren. Welke ouwe zendeling heeft bedacht dat er hier gaas voor de ramen moest in plaats van glas? Zo meteen is z'n hele bed nat. En zo'n dak van zink is natuurlijk ook niet echt slim. Wie kan er ooit slapen als het regent? Hadden ze geen normale dakpannen kunnen gebruiken?

Ook balen voor Yoesoef. En voor Koeman en Elisa en Yagya. Die liggen vast helemaal nat te regenen onder hun dak van bladeren. En die twee arme baby'tjes! Zouden die het wel warm genoeg hebben? Misschien moet hij een actie beginnen in Nederland.

Baby in huis?
Spoel de poepluiers uit in de groentetuin.
De spinazie groeit als kool!
Eet smakelijk.

Jungletip van Gerrit Jan Groen
Pak als het schemert nooit een zwart stokje van de veranda op.
Het kan zomaar een slang zijn.

Dakpannen voor Papoea
Gun de arme Papoea een echt dak boven zijn hoofd
Want nu slapen ze onder bladeren.

Ineens, net zo plotseling als de regen begonnen is, is het afgelopen. Er blijven alleen nog wat druppels natikken op het dak. In de verte rommelt het onweer langzaam weg. Een koor van kikkers breekt uit in opgewekt gekwaak. Jesse gaapt en draait zich op zijn zij, een hand onder zijn wang. Dakpannen voor Papoea. Goed idee. Moet hij onthouden.

'En?' zegt Jesse aan het ontbijt. 'Hoe vonden jullie mijn liedjes?'
'Liedjes?' zegt Nikki.
'Ja, de liedjes die ik ging zingen voor jullie. Vannacht, toen het zo onweerde.'
Nikki kijkt haar broer ongelovig aan. 'Had het geonweerd? Niet waar! Je maakt maar een grapje.'
'Echt niet! Het heeft geonweerd, hè, pap?'
'Heel hard', zegt papa. 'Maar Bob en jij hebben het vast niet gehoord. Ik ben nog even wezen kijken, maar jullie sliepen er gewoon doorheen.'
Jesse schudt zijn hoofd. 'Jullie zijn hartstikke doof. Kijk, ik zal het eens voordoen.'

Hij springt van zijn stoel, pakt twee pollepels uit de keuken en begint ermee op het aanrecht te timmeren.

Bob begint te lachen. Hij pakt zijn paplepel en slaat zo hard hij kan op het blad van zijn kinderstoel. Papa begint met zijn mes en vork op zijn bord en zijn theeglas te slaan.

'Stop daarmee!' roept mama boven het lawaai uit. 'NU METEEN!'

'WÁT?' roept Jesse.

Nikki doet haar handen voor haar oren. 'HOU OP!'

'Dit was nog niks', zegt Jesse, terwijl hij weer aan tafel gaat zitten. 'Het was nog veel en veel harder. En de regen, man. Net of je onder een drumstel lag. Waar iemand heel hard op aan het drummen was.'

Nikki haalt haar schouders op. 'Nou, ik heb niks gehoord.'

'O ja, Jesse', zegt mama. 'Niet vergeten. Om twaalf uur moet je je medicijnen.'

'Huh? Waarvoor?'

'Tegen de malaria.'

'Ik heb geen malaria meer.'

'Nee, maar je moet vandaag nog pillen, en morgen ook. Anders kun je het opnieuw krijgen.'

Jesse laat dat idee even op zich inwerken. Oké. Dan toch maar wel pillen. Hij heeft weinig zin om zich weer zo ziek te voelen.

'Maar ik ga niet meer in bed liggen.'

'Nee, dat hoeft ook niet. Als je je pillen maar op tijd inneemt. Twaalf uur. Vergeet het niet.'

Na het ontbijt vertrekt Jesse naar het huis van Rafaël. Het hoge gras is kletsnat, en de paadjes zijn modderig. De zon schijnt, maar het is nog lekker koel buiten.

Rafaël en Sari zijn op blote voeten over de spekgladde klei voor hun huis aan het glijden. 'Ha Jesse! Ben je weer beter?'

Jesse knikt. 'Helemaal.'

Sari stopt met glijden. 'Waar is Nikki?'

'Thuis.'

'O, ik ga haar halen. Ze moet onze nieuwe baby zien.' Sari rent al glibberend het paadje af.

Jesse kijkt haar verbaasd na. Dan draait hij zich om naar Rafaël. 'Wat zei ze? Jullie nieuwe baby?'

13 Nieuwe baby

'Nou ja, niet echt van ons', zegt Rafaël. 'Hij is eigenlijk van Elisa.'

Jesse ziet ineens de twee kleine, bleke baby'tjes weer voor zich, die bij Elisa thuis op de vloer bij het vuur lagen. 'Hebben jullie er een van hem gekregen of zo?'

Rafaël knikt. 'Nou ja, ik weet niet of we hem mogen houden. Trouwens, misschien gaat hij nog wel dood, hoor. Maar Elisa's moeder kwam dus vanmorgen vroeg bij ons aan de deur.' Hij kijkt even opzij.

'Niet Elisa's echte moeder, snap je? Maar die andere. Die nog maar vijftien is. Die heeft z'n vader er vorig jaar bij genomen als vrouw. Ze zei dat de kleinste baby haast niet drinkt. En toen heeft mijn moeder hem op de weegschaal gelegd en hij was maar twee kilo, en Elisa's moeder zei: "hij wordt steeds magerder, ik wed dat-ie dood gaat", en ze begon te huilen en zo, en mijn moeder met haar praten, van je moet veel drinken zodat je genoeg melk hebt, maar het hielp niet, en toen zei mijn moeder: "nou, oké, geef maar, ik neem hem wel." Dus nu hebben we twee babies. Een dikke en een dunne. Kom mee. Dan kun je ze zien. Lijkt heel grappig als ze naast elkaar in de box liggen.'

Naast de veranda, onder de regenpijp, staat een verroeste olieton met water. Rafaël spoelt met een mandibakje de klei van zijn voeten. Dan klimt hij de veranda op en duwt de hordeur open. Jesse loopt nieuwsgierig achter hem aan. In de kamer zit tante

Magda op de bank. Ze heeft een piepklein, bruin baby'tje aan de borst.

Jesse wendt snel zijn ogen af. Hij had gedacht dat Rafaëls moeder de baby een flesje zou geven. Maar ze laat hem uit haar eigen borst drinken. Bah! Dit is té raar.

'Hé, Jesse', zegt tante Magda. 'Wat vind je van m'n nieuwe kind?'

Jesse schraapt zijn keel. 'Heel leuk.' Hij draait zich om naar de box, waar een dikke, witte baby met een rammelaar om zich heen ligt te slaan. Naast haar hoofd, op het boxkleed, ziet het zwart van de mieren.

'Wat een vette pad, hè?' zegt Rafaël opgewekt. 'En moet je die klont met mieren zien. Ze heeft zeker weer pap gekotst. Doet ze altijd.' Hij buigt zich over de box heen en begint de mieren weg te schieten van tussen zijn duim en middelvinger.

'Hoe heet-ie?' vraagt Jesse.

'Jolijn. Maar het is een meisje.'

'Nee, ik bedoel die andere.' Jesse wijst met zijn duim naar achteren, zodat hij tante Magda niet nog een keer hoeft te zien. 'Die kleine.'

'O, die heeft nog geen naam. Dat doen ze pas als hij oud genoeg is.'

'Omdat er zo veel kinderen doodgaan voor ze een paar maanden oud zijn', legt tante Magda uit. 'Snap je? Als je een kind een naam geeft, ga je je er te veel aan hechten, zeggen ze hier.' Ze trekt haar T-shirt recht en legt het baby'tje tegen haar schouder. Zachtjes wrijft ze hem over zijn rug. 'Maar jij gaat niet dood, hè, jochie? Zullen wij je vast een naam geven?'

Jesse draait zich om. 'Mozes!' Het is eruit voor hij er erg in heeft.

'Mozes ...' zegt tante Magda bedachtzaam. Ze knikt. 'Dat is een goeie naam, Jesse. Een hele goeie naam.' Ze legt het jongetje op haar knieën en kijkt hem in zijn donkerbruine ogen. 'Hé, jonkie. We gaan je Mozes noemen. Vind je dat goed?' Het baby'tje gaapt, slaat met een vuistje door de lucht en doet zijn ogen dicht.

Tante Magda staat op en loopt naar de eetkamer, waar een donker meisje net een teil warm water op de eettafel zet. 'Kom op, Mozes. Ik ga je in bad doen. En dan mag je weer slapen.'

Nikki en Sari komen binnenrennen, Nikki met Babyborn in een draagdoek.

'Ohhh!' zucht Nikki. 'Wat lief! Hij is nog kleiner dan Babyborn! Kijk maar!' Ze haalt haar pop uit haar draagdoek en houdt hem naast de baby. 'Zie je wel?'

Met z'n allen staan ze eromheen als tante Magda het jongetje zijn mutsje afdoet, hem uit zijn natte, vieze doeken pelt en hem heel voorzichtig in het warme water laat zakken. Pas nu ziet Jesse hoe mager en klein hij echt is. Zijn armpjes zijn zo dun als stokjes. Het vel van de beentjes is veel te ruim. Alleen de huid om het gezichtje staat strak, alsof het hoofdje sneller gegroeid is dan de rest. Even lijkt het erop dat hij wil gaan huilen. Maar dan zakken zijn oogjes dicht. Tante Magda wast hem voorzichtig. Dan tilt ze hem uit bad en droogt hem af. Ze speldt hem een katoenen luier om en doet hem echte babykleertjes aan. Ze zijn hem veel te groot.

'Ik heb nog wel kleertjes van Babyborn', biedt Nikki aan. 'Die passen misschien beter. En ik heb ook nog een wipstoeltje. En een speen.' Ze trekt de speen uit Babyborns mond. Babyborn begint blikkerig te huilen. 'U mag hem wel lenen, hoor.'

Tante Magda lacht. 'Dat is heel lief van jou. Maar we hebben genoeg spullen hier.' Ze wikkelt het slapende jongetje in een omslagdoek en draagt het naar de slaapkamer, waar een rieten schommelwieg klaarstaat. 'Kijk eens, Mozes. Je biezen mandje. Komt dat even mooi uit, dat Jolijn er net uit gegroeid is. Ga maar lekker slapen.' Ze buigt zich over de wieg heen en aait Mozes heel zacht over zijn donkere kroeshaartjes.

In de kamer tilt ze haar eigen kind uit de box. Vergeleken bij Mozes is het een enorme, uit de krachten gegroeide reuzenbaby. De armen en benen zijn zo dik dat het lijkt of iemand ze heeft opgeblazen, en ze bij de polsen en enkels dichtgebonden heeft met elastiekjes. Het gezicht is zo bol als een pompoen. 'Zo, Jolijn. Dan gaan we nu maar eens kijken of jij nog een slokje lust.'

'Je lijkt wel een koe, mam', zegt Rafaël. 'Al die baby's die je melk geeft. Kom op, Jesse, dan gaan we. Oké?'

Opgelucht rent Jesse achter Rafaël aan. 'Wat gaan we doen?'

'Wachten tot de anderen er zijn. Want we gaan je lid maken van onze club, toch?' Een grijns trekt over Rafaëls gezicht. 'Hé, Jesse. Zal ik nou nog even laten zien hoe je in een palmboom moet klimmen? Het is echt helemaal niet moeilijk.'

'Eh ...' Jesse kijkt omhoog naar de palmbomen in Rafaëls voortuin. Wat heeft Rafaël toch met palmbomen? Dat zijn helemaal geen klimbomen. Er zitten nergens zijtakken om je aan vast te houden en om op te gaan staan. Het zijn gewoon dikke palen die recht omhoog steken. Een soort scheepsmasten. Met bovenin, tegen de blauwe lucht, een krans van zacht wuivende palm-

Kijk uit voor een kokospalm!
Van de 100 mensen die verwond worden door een palmboom
- vallen er 84 uit de boom
- krijgen er 13 een kokosnoot op hun hoofd
- komen er 2 onder een omvallende boom terecht
- verstuikt er 1 zijn voet omdat hij tegen de boom aan schopt

Kakkerlak
Ga niet met je blote voet boven op een kakkerlak staan. Dat is het vieste wat je kunt doen. Hij spat uit elkaar, er komt stinkend bruin vocht uit en als je pech hebt, komen er een heleboel kleine kakkerlakjes onder z'n schild uit rennen.

bladeren. Vlak eronder hangen de kokosnoten. Als ze nou nog halverwege hingen, zoals maiskolven. Of onder de grond zaten, zoals aardappels.

'Het is wel heel belangrijk, hoor, dat je dat kunt. Voor als je weer eens verdwaald bent. Want als je kokosnoten hebt, dan heb je eten en drinken tegelijk. En dan kun je dus nooit doodgaan.'

'Dan klim ik wel in een avocadoboom', zegt Jesse. 'Of in een citroenboom.' Hij wijst naar de boom die naast de veranda staat.

'Volgens mij kun je ook best blijven leven als je citroenen eet. In elk geval een poosje.'

'Die citroenboom is daar geplant, dombo!' grinnikt Rafaël. 'Zulke bomen vind je heus niet als je verdwaald bent in het oerwoud. Daar mag je blij zijn als je een *kelapa*[3] ziet. Oké, ik doe het voor. Let jij op dat mijn moeder het niet ziet.'

Hij zet zijn voet in een inkeping in de stam. 'Kijk, ze hebben dus van die treetjes uitgekapt, zie je? D'r is echt niks aan.' Hij zet zijn andere voet op een volgende uitsparing, en trekt zichzelf omhoog. Als een aap klimt hij tegen de smalle stam op.

'Net of je op een ladder klimt!' roept hij, als hij halverwege is.

'Ja, ik snap het. Maar eh – dit is wel hoog genoeg, hè?'

3 kokospalm

'Duhuh! De kokosnoten zitten bovenin.'

Rafaël klimt verder. Jesse durft bijna niet meer te kijken. Stel je voor dat hij valt!

'Aan de kant!'

Jesse springt opzij. Een enorme, groene kokosnoot ploft naast hem neer. Het volgende moment komt tante Magda naar buiten stormen, met Jolijn op haar heup.

'Rafaël! Dit was streng verboden. Weet je nog?'

Rafaël kreunt. 'O neeee. Jesse! Ik zei toch dat je op moest letten.'

'Ik lette ook op!' zegt Jesse verontwaardigd. 'Ik lette op dat er geen kokosnoot op mijn kop viel.'

Tante Magda kijkt omhoog. 'Hier ga je vanavond meer van horen. Naar beneden, jij. Nu!'

Ze verdwijnt weer naar binnen. Rafaël laat zich snel naar beneden zakken. Met een sprong belandt hij op de grond. Hij pakt zijn kokosnoot op aan de steel. 'Pff. Mijn moeder denkt gewoon dat het gevaarlijk is. Omdat zíj het niet kan. Maar ik ben nog nooit gevallen.'

Hij slaat een arm om Jesses schouder. 'Maakt niet uit. We leren het je nog wel, de jongens en ik. Aan de overkant van de rivier zijn ook palmbomen.'

14 Sagorups en zoute drop

In twee prauwen roeien ze de rivier over. Rafaël, Yoesoef en Koeman in de ene boot. Elisa, Jesse en Yagya in de andere. Ze hebben van alles bij zich. Vishaakjes en touw, oude blikjes, een stuk sago, een kapmes, een boog en pijlen.

Jesse durft nog niet te roeien. Maar hij staat wel. Zijn armen wijd, zijn knieën gebogen. Hij voelt zich net een acrobaat die voor het eerst op het slappe koord staat. Hij wil niet vallen. Hij gáát niet vallen.

De boot schommelt gevaarlijk.

'*Doedoek adja*', zegt Elisa. 'Ga toch zitten. Zo meteen slaan we nog om.'

Jesse schudt zijn hoofd. 'Ik wil staan.'

'Je mag mijn roeispaan wel', biedt Yagya aan.

Jesse draait zich voorzichtig om en pakt hem aan. Onhandig begint hij ermee door het water te roeren. De prauw gaat meteen de verkeerde kant op.

'Hé!' roept Elisa van voor uit de prauw. 'Yagya! Wat doe je?'

'Niks.'

'Ja, dat merk ik.' Elisa draait zich om. 'O, roei jíj.'

'Nou ja, ik probeer het.'

'Kijk, zó moet het.' Elisa steekt zijn roeispaan voor zich in het water en haalt hem naar achteren toe.

Jesse probeert hem na te doen. Het lijkt zo makkelijk. Maar het is heel erg lastig. Als hij nou nog mocht zitten ... Hij geeft de roeispaan weer terug aan Yagya. 'Hier, neem jij hem maar. Ik probeer het wel een andere keer.'

Aan de oever van de rivier, tussen het hoge gras, ligt een omgevallen boom. Eigenlijk is het nauwelijks een boom te noemen. Het is meer een uitgeholde stam. Tussen het pulp dat er in overgebleven is krioelt het van de rupsen. Dikke, witgele rupsen met kleine zwarte hoofdjes.

Rafaël pakt er een, bijt de kop eraf en steekt hem in zijn mond. Jesse kijkt griezelend toe. 'En?'

'Heerlijk!' zegt Rafaël met volle mond. Hij is al weer op zoek naar een volgende. Het lijkt wel of ze in een snoepwinkel staan en gratis snoep mogen scheppen. Yoesoef, Elisa, Koeman en Yagya zoeken de rupsen tussen de pulp uit, bijten de kop eraf en stoppen de nog nakronkelende lijfjes in hun mond.

Yoesoef biedt Jesse een rups aan. 'Hier, Jesse, dit is een lekkere dikke.'

Jesse slikt. Hij had een klein rupsje willen zoeken. Maar nu heeft hij de dikste die erbij zat. Het beest beweegt en kriebelt in zijn hand.

'Je moet de kop er wel even af bijten', adviseert Elisa. 'Die is niet lekker.'

Jesse pakt de rups tussen duim en wijsvinger. Twee kleine zwarte oogjes heeft hij. Niet bij nadenken. Hij moet het doen. Voor hij het niet meer durft.

Nu.

Nu.

Nu!

'Komt er nog wat van?' informeert Yoesoef.

Jesse haalt diep adem. Dan bijt hij de kop er met zijn voortanden af en spuugt hem uit. Yes! Hij heeft het gedaan! Hij heeft een rups doorgebeten. Het voelt alsof hij een goochelaar is die een dame heeft doorgezaagd. Maar het verschil is dat hij hem niet meer in elkaar kan zetten. Deze rups is dood. Hartstikke dood. Hij is z'n hoofd kwijt. Maar waarom beweegt hij dan nog zo wanhopig? Alsof hij zelfs na zijn dood nog probeert vrij te komen?

'Je moet hem nog wel even opeten', zegt Rafaël.

Opeten. Natuurlijk. Dat moet ook nog.

Jesse duwt zijn bril wat vaster op zijn neus. Kom op. Zo erg is het niet. In dat tv-programma eten ze wel ergere dingen. Kakkerlakken bijvoorbeeld. Slakken. Enorme torren met vleugels en voelsprieten en bewegende ogen. Gepureerde rat. Wat is nou één sagorups? Snel kauwen en dan doorslikken. Misschien lijkt het wel een beetje op rauwe haring. Of op garnalen. Die eet hij toch ook?

De andere jongens kijken vol belangstelling toe hoe hij de sagorups in zijn mond laat zakken. Hij kauwt twee, drie keer, en probeert dan te slikken. Het lukt niet. De rups wil niet naar binnen. Jesse begint bijna te kokhalzen, maar hij weet het zachte, slijmerige vlees binnen te houden. Dapper kauwt hij verder. Dit lijkt niet op rauwe haring. Of op garnalen. Dit is vies. Heel vies.

Hij knijpt zijn ogen stijf dicht, balt zijn vuisten en slikt. Ha! Eindelijk. Het is hem gelukt.

'En?' zegt Rafaël.

Jesse steekt zijn tong uit. 'Kijk maar.'

De jongens beginnen allemaal te lachen. Ze slaan Jesse op zijn schouder.

'Hij heeft een sagorups gegeten!'

'Hij heeft het gedaan! Nu ben je lid van onze club.'

'Was het lekker? Wil je er nog een? Hier, kijk, wil je deze?'

'Nee, bedankt', zegt Jesse. Hij graaft in zijn broekzak. 'Maar ik heb voor jullie ook iets meegenomen.' Hij haalt een klein, verfrommeld zakje tevoorschijn, dat hij vanmorgen onder uit zijn koffer heeft gehaald.

'Drop!' zegt Rafaël blij. 'Hoe kom je daaraan?'

'Had ik nog.' Jesse trekt het zakje open en peutert er een paar kleverige dropjes uit. Hij steekt er een in zijn mond en begint ze dan uit te delen.

Yoesoef ruikt aan zijn dropje, bekijkt het van alle kanten. Dan steekt hij het in zijn mond. De andere jongens volgen zijn voorbeeld. Bijna tegelijkertijd spugen ze de drop weer uit. Met hele vieze gezichten. Ze stompen elkaar. Praten in een onverstaanbare taal. Bijten op hun knokkels van het lachen. 'Ieeeee!'

'En?' grinnikt Jesse.

'Smerig!' zegt Yagya hardgrondig. Hij stopt snel een rups in zijn mond om de vieze smaak kwijt te raken.

'Lusten jullie dat echt?' vraagt Elisa verbaasd. 'Eten jullie dat in Nederland?'

Jesse knikt en neemt nog een dropje.

'Niet alles alleen opeten', zegt Rafaël. Hij doet een greep naar de zak drop. 'Geef hier! Ik wil ook nog!'

Jesse houdt de zak achter zijn rug. 'Ik dacht dat jij zo van sagorupsen hield.'

'Ja, maar ook van drop! Toe nou! Geef hier!'

Jesse houdt hem de zak voor en trekt hem dan snel weer weg. Rafaël stort zich boven op hem. 'Geef me die drop!'

'Vechten jullie dáárom?' vraagt Yoesoef. Hoofdschuddend kijkt hij zijn vrienden aan. Die halen hun schouders op.
'*Belanda*', zegt Elisa berustend. 'Nederlanders.'
Yoesoef springt overeind. 'Kom op. Dan gaan we naar de hut. Gaan we de rest van de rupsen roosteren. Misschien dat Jesse ze dan wel lust.'

De jongens stoppen hun broekzakken vol sagorupsen. Dan gaan ze op weg.
'Is het ver?' vraagt Jesse, terwijl hij achter Yoesoef aan door het hoge gras waadt. De aarde veert mee onder zijn voeten, de zon gaat schuil achter de hoge boomtoppen.
Yoesoef zwaait met zijn kapmes door het gras. 'De hut? Nee, vlakbij. Alleen maar een klein eindje door het bos.'
Jesse volgt precies in Yoesoefs spoor. Hij stapt over boomstammen, glibbert door een watertje, plukt zonder nadenken een paar bloedzuigers van zijn been. In gedachten is hij alweer bezig aan een nieuw mailtje.

Beste Iedereen van de klas
en Meester
Ik heb malaria gehad
Heel erg!! Maar net als Wambo de jonge Papoea, ik heb het gehaald.
Vandaag ben ik trouwens lid geworden van de geheime jungleclub
Ik moest daar allemaal proeven voor doen
Zoals ik heb een echte sagorups gegeten.
Het was vet smerig
een soort snotterige marshmallow

Je eet alles op, alleen niet het hoofd maar
wel de maag en de darmen en het hart en zo
maar wat een goeie was, ik had nog een half zakje extra zoute drop
over en die had ik meegenomen dus die heb ik aan hen uitgedeeld,
dus ik at een sagorups en zij een dropje en we vonden het allebei
even vies.
Trouwens bij mijn vriend Rafaël hebben ze nou een extra baby
Die is eigenlijk van Elisa maar zijn moeder heeft er twee
Rafaël z'n moeder geeft hem zelf borstvoeding
ik vind dat eigenlijk wel nogal raar!!!
ik heb de baby trouwens een naam gegeven Mozes omdat z'n moeder hem heeft weggegeven en nu zorgt Rafaël z'n moeder ervoor.
Het is hier nu wel aardig leuk en ik heb nog steeds geen school
gehad. Ik denk dat me moeder dat vergeet. Ik zeg niks natuurlijk.
Groetjes van Jesse

Jungletip van Beernt Berghuis, 14 jaar

Neem altijd een kapmes mee als je in
het bos gaat wandelen.
Je kunt de planten die over het pad
hangen weghakken, of een pad maken.
Je kunt brandhout hakken.
Ook kun je dieren slachten.
In het Indonesisch heet een kapmes
een 'parang'.
Je kunt er bijna alles mee doen, zoals
bijvoorbeeld een gat graven.

Jungletip van Katinka Berghuis, 12 jaar

Doe altijd een lange broek aan, dan heb
je minder kans op malaria.
En gebruik muggenspul!

Thee

Doe 1 theezakje in de pot.
Giet daarop 2 liter kokend water.
Roer er 1 kilo suiker door.
Laten afkoelen.

15 Feestmaal

Op een schemerige plek tussen de bomen en het struikgewas staat een hutje op palen. Het is net een echt Papoeahuis. Maar dan in het klein. Het heeft een bladerdak, wanden van smalle stammetjes, twee raampjes. Een boomstam met inkepingen leidt naar de deuropening.

'En?' zegt Rafaël trots. 'Wat vind je ervan?'

'Zelfgebouwd', voegt Yoesoef eraan toe.

'Cool', zegt Jesse bewonderend. Dit is nog eens wat anders dan de kastelen die hij in Nederland maakte van oude dozen en kleden en stukken plastic.

'In de vakantie gaan we hier wel eens slapen', vertelt Rafaël. 'En dan nemen we sago mee en brood, en we gaan kreeften en vis vangen en bakken op ons vuur. En we vertellen 's nachts spookverhalen. Hele enge spookverhalen hebben ze hier. En 's morgens vroeg gaan we zwemmen in de rivier en we kijken in de netten of we vis hebben gevangen en dan gaan we ze opeten. Echt, Jesse, je moet eerlijk waar een keer komen slapen. Echt leuk, man. Helemaal niet eng.'

'En als het regent?'

'O ja, dat is heel gezellig, als het regent.'

'Ja, maar worden jullie dan niet vreselijk nat?'

'Nee hoor. Het spettert wel een beetje. Maar niet erg. We hebben vorige maand nog een nieuw dak gemaakt. Het is alleen heel koud als het regent, dus dan gaan we dicht tegen elkaar liggen.'

Jesse klimt op handen en voeten tegen de schuine paal op. Hij moet zich bukken om door de deuropening te kunnen. Het huisje is zo laag dat hij er maar net kan staan. Het is er warm en stoffig en heel erg donker. In het midden is een stenen vuurplaats. Yagya legt er houtjes en spaanders neer, strijkt een lucifer af en blaast voorzichtig tot er een vuurtje begint te branden. Yoesoef pakt een zwartgeblakerde bakpan van een balk en veegt de spinnen eruit. Dan haalt hij een handvol rupsen uit zijn broekzak. Sommige zijn helemaal platgedrukt, maar andere bewegen nog.

Als het vuur goed brandt, zet hij de wok erop. De rupsen beginnen verontwaardigd te sissen. Yoesoef schept ze om met zijn kapmes, en ze worden steeds kleiner. Jesse kijkt geïnteresseerd toe. Aha. Rupsen krimpen dus als je ze bakt. Net als champignons.

Het wordt steeds warmer in het hutje. Jesses ogen prikken van de rook. Hij kruipt naar buiten om te zien waar Rafaël blijft.

Vlak naast het huis valt een kokosnoot neer. Rafaël komt uit een palmboom naar beneden. 'Ik moest effe wat te drinken halen, hoor. Voor ons feestmaal. Had ik al gezegd dat we een feestmaal gaan houden?'

'Nee.'

'Omdat je lid bent geworden. Met allemaal lekkere dingen. Ik heb citroenen mee en zout en sago en pindakaas.'

'En wij hebben vlees!' roept Elisa triomfantelijk. Hij komt tussen de struiken vandaan, zwaaiend met een dunne, bruine slang.

Koeman loopt ernaast met zijn boog over zijn schouder. 'Ik heb hem gepijld', zegt hij. 'En kijk eens wat ik ook heb?' Hij houdt een spartelende kikker omhoog. 'De slang had hem gevangen. Hij probeerde hem op te eten, maar het lukte niet. Die kikker had zichzelf helemaal opgeblazen, dus hij kon z'n bek er niet omheen krijgen.' Koeman spert zijn mond wijd open en doet of hij de kikker naar binnen probeert te krijgen. 'Kun jij z'n kop effe afhakken, Yoesoef?'

'Ah nee ...' wil Jesse zeggen. 'Die arme kikker!'

Maar hij zegt het niet. Hij is nu lid van de jungleclub.

Yoesoef haalt zijn kapmes tevoorschijn en wil de kikker van Koeman overnemen. Maar het beestje is hem net te snel af. Hij springt uit Koeman's hand over Yoesoef heen en verdwijnt tussen het gras. Yoesoef rent erachteraan. 'Hé! Kikker! Kom terug! Kom op, Koeman! We moeten hem vangen.'

Grinnikend kijkt Jesse ze na. Gelukkig. Die kikker is aan de dood ontsnapt. Voor de tweede keer vanmorgen.

Schouder aan schouder zitten ze in de schemerdonkere hut te eten. Het zweet druipt over Jesses rug en langs zijn slapen. Het drupt op zijn knieën en prikt in zijn ogen. Hij doet zijn best om een sagokoek met pindakaas weg te krijgen. De sago met gebakken rups heeft hij beleefd afgeslagen. Maar hij heeft wel een stukje slang geproefd. Helemaal niet vies, slangenvlees. Het leek een beetje op paling.

Hij luistert naar verhalen over opa's die nog mensenvlees gegeten hebben. Over broertjes en zusjes die zijn doodgegaan aan diarree of aan malaria, aan longontsteking of aan een slangenbeet. Hij hoort over een sleutel die ergens verstopt ligt, en niemand weet waar. 'En als we die sleutel hebben, dan kunnen we de schat vinden. De schat van de voorouders. En dan zijn we allemaal rijk.'

Rafaël vertelt over de dag dat die aardige, oude Bapak Johannes ruzie kreeg met zijn vrouw. 'Hij sloeg haar alleen maar met een stuk hout tegen haar been, kijk, hier, en toen viel ze al dood neer! Alsof hij dat kon helpen!'

'Het was toverij', zegt Yoesoef.

'Echt?' Rafaël kijkt verbaasd opzij. 'Mijn vader zei dat ze een hartaanval heeft gehad.'

'Míjn vader zegt dat iemand haar betoverd had. En hij weet wie.'

'Wie dan?'

Yoesoef dempt zijn stem. 'Z'n zus. Johannes z'n oudere zus. Die was altijd al jaloers.'

Rafaël krabt zich even achter zijn oor. 'O. Nou ja. Maar Bapak Johannes kreeg in elk geval de schuld. Ze hebben hem in de gevangenis gezet, wel een jaar lang, en daar moest hij de hele dag schepen laden en lossen. Hij moest zakken cement van honderd kilo dragen. En hij moest elke avond eten koken voor de bewakers, en hij had helemaal geen geld, en toen hebben die bewakers hem geld geleend om eten te kopen, en aan het eind had hij dus wel een paar miljoen schuld. En dat geld moet hij nu nog steeds terugbetalen. Hartstikke gemeen.'

'En kan niemand daar dan wat aan doen?' vraagt Jesse.

'Nee. Niemand.'

'Hé, Raf, je had toch citroenen mee?' zegt Yoesoef.

'Klopt.' Rafaël pakt zijn rugzak en haalt er een paar citroenen uit, en een zakje zout, dat hij met zijn tanden openscheurt. Yoesoef snijdt met zijn kapmes de citroenen in stukken.

'Dit moet je echt proberen', zegt Rafaël, terwijl hij wat zout op zijn hand strooit. 'Echt lekker. Citroen met zout. Eigenlijk mag

Slank worden in een handomdraai

(Tip voor dikke moeders)

Eet een ongewassen wortel.

Of een bordje sla.

De kans is groot dat je dan amoebe-
dysenterie krijgt.

Je darmen zijn hierna minstens een half
jaar van slag.

In de tussentijd val je zo een kilo of 10
af.

Gifslang

Pas op als je gifslang eet. Zorg dat je
het gif er eerst uit haalt. Anders kun je
gek worden.

het niet van mijn moeder. Ze zegt dat je tanden ervan gaan rot-
ten. Maar ja ...' Hij likt aan zijn hand, '... dan neem ik wel een
kunstgebit. Heb ik tenminste ook nooit meer gaatjes.'

Jesse strooit een beetje zout op zijn hand, neemt een klein likje
en hapt dan in zijn stuk citroen. De tranen springen hem in de
ogen. Dit is smerig! Veel te zout. Veel te zuur. Dat ze dit lekker
vinden. Snel pakt hij zijn kokosnoot en drinkt een paar grote
slokken lauwwarme kokosmelk. Dat is beter.

'O ja, Elisa', zegt Rafaël, terwijl hij zijn handen afveegt aan zijn
broek. 'Helemaal vergeten. We hebben een naam bedacht, Jesse
en ik. Voor je broertje.'

Elisa kijkt op van zijn sagokoek. Zijn ogen vernauwen zich. 'Een
naam?'

'Ja. Mozes.'

'Mozes?'

'Ja. Mooi hè?'

'Waarom?' vraagt Elisa. 'Waarom hebben jullie hem een naam gegeven? Misschien gaat hij wel dood.'

'Echt niet', zegt Rafaël. Hij slaat Elisa op de schouder. 'Niet als mijn moeder voor hem zorgt. Over een maand is-ie net zo dik als Jolijn. Wedden?'

'En anders ...' zegt Jesse aarzelend. 'Ik bedoel, stel je voor dat hij ...' Hij zet zijn bril af en wrijft met de onderkant van zijn T-shirt over zijn bezwete gezicht. 'Nou ja ... dan mag hij toch eigenlijk ook wel een naam hebben?'

Elisa staart voor zich uit. 'Maar dan is het zo droevig', zegt hij eindelijk.

Het blijft even stil in de donkere hut. Dan komt Elisa overeind. 'Ik zit helemaal vol. Gaan jullie mee? Zullen we zwemmen? Of vissen?'

'Wacht even', zegt Yoesoef. 'We hadden nog wat. Een verrassing. Voor Jesse. Toch?'

'O ja!'

'Kom mee, Jesse!'

'We hebben iets voor je.'

'Iets heel leuks!'

Een voor een wurmen ze zich naar buiten. Het is er gewoon koel, vergeleken met de benauwde, rokerige ruimte waar ze net uit komen.

'Waar is-ie?'

'Bij de rivier, toch?'

'Waar hebben jullie het over?' vraagt Jesse achterdochtig. 'Wat is er bij de rivier?'

'Onze verrassing. Kom mee. En doe je ogen dicht.'

16 Bijl

Jesse schudt zijn hoofd. 'Ja, hallo, ik ben niet gek. Ik ga mijn ogen niet dicht doen. Zo meteen stap ik nog op een slang.'
De jongens beginnen hard te lachen. Alsof dat het laatste is wat Jesse zou kunnen overkomen.
'Maak je geen zorgen. Wij kijken wel voor je. Hè, Yoesoef?'
'Ja, wij kijken.'
'En anders brengen we je wel naar de poli. Als je gebeten wordt.'
'Daar hebben ze een schokkenapparaatje. Dan geven ze je schokken, zo, om de slangenbeet heen, poef, poef, poef, en dan ga je niet dood.'
'Je moet er natuurlijk wel op tijd bij zijn.'
'En het is te hopen dat de batterijen het nog doen.'
Jesse kan het niet geloven. Ze hebben net uitgebreid verteld hoeveel familieleden er door slangenbeten om het leven zijn gekomen. En ze lachen hem uit als hij bang is om op een slang te trappen.
'Ogen dicht!' beveelt Yoesoef.
Jesse zucht. Gehoorzaam doet hij zijn ogen dicht. Moeizaam ploetert hij tussen Rafaël en Yoesoef in naar de rivier toe. De grond is zompig. Muggen zoemen om zijn hoofd, vliegen gaan op zijn benen zitten. In de verte klinkt het gebrom van een motorzaag, het gekraai van de hanen. Jesse doet zijn linkeroog op een kiertje open.
'Hé! Je kijkt.'

'Echt niet!' Jesse doet zijn ogen snel dicht en struikelt een paar stappen verder over een boomwortel.

'Oeps, sorry, Jesse.'

Jesse staat op, zijn handen en knieën rood van de klei. 'Heel leuk.'

'Maar je mag je ogen nu open doen. We zijn er.'

Jesse kijkt om zich heen. Bomen. Gras. De rivier. Een oude vrouw, die in een prauw voorbij komt peddelen.

'Wát? Wat moet ik zien?'

'Draai je om.'

Jesse draait zich om. Zijn mond valt open van schrik. Daar staat Bapak Johannes. Hij leunt tegen een boom aan, een bijl in zijn handen. Hij grijnst naar Jesse. Een tandeloze grijns is het. Jesses hart begint te bonzen. Bapak Johannes. De man die zijn vrouw heeft doodgeslagen.

'Bapak Johannes gaat een prauw voor je maken', zegt Yoesoef trots. Hij legt zijn arm om Jesses schouders heen.

'Hebben wij aan hem gevraagd', voegt Rafaël eraan toe.

'Ja', zegt Koeman. 'Omdat je lid bent van onze jungleclub.'

Jesse slikt. Het duurt even voordat het tot hem doordringt. 'Een prauw?'

Bapak Johannes knikt. 'Iedere jongen heeft een prauw nodig.'

'Welke boom hebt u uitgekozen?' vraagt Rafaël.

Bapak Johannes wijst omhoog naar de boom waar hij onder staat. 'Deze. Voel maar. Dit is een goede stam. Een stevige stam. Hier kan ik een goede prauw van maken. Een snelle prauw.'

Jesse schudt verbaasd zijn hoofd. Zijn hartslag komt langzaam weer tot bedaren. '*Terima kasih banyak, Pak.* Dank u wel.'

'Niks te danken, jongen.' Bapak Johannes lacht hem vriendelijk toe. Hij stroopt zijn mouwen op, pakt de bijl stevig vast en zwaait hem over zijn schouder naar achteren.

Terwijl de eerste bijlslagen weergalmen over het water, draait Jesse zich om naar zijn nieuwe vrienden. 'Hartstikke bedankt', zegt hij. 'Ik – ik kan het bijna niet geloven.'
'Wij vonden het maar niks dat je overal naartoe ging zwemmen', zegt Yoesoef. 'Veel te gevaarlijk.'
'Het duurt nog wel een poos voor hij klaar is', zegt Rafaël. 'Hij is er vast wel een maand mee bezig.'
Jesse grinnikt. 'Dat geeft niet. Dan kan ik tenminste eerst leren prauwen.' Zouden ze Bapak Johannes wel betalen voor die prauw? Hij moet aan papa vragen of hij hem in dienst neemt als tuinman. Zodat hij tenminste wat meer verdient. Zodat hij zijn schuld aan de gevangenisbewakers kan afbetalen. En misschien kan hij een actie starten in Nederland. Een actie om Bapak Johannes te helpen.

Beste allemaal
Er is een hele aardige opa die een boot voor mij maakt. Alleen het is heel zielig, hij heeft per ongeluk zijn eigen vrouw doodgeslagen en toen moest hij in de gevangenis en hij moest zakken cement van honderd kilo van een boot af dragen. Terwijl hij al heel oud en mager is en hij moest eten kopen voor de bewakers van zijn eigen geld dat hij niet had en nu heeft hij een heel erge schuld. Het is heel oneerlijk!!! Dus -

'Jesse? Jesse! Ben je in slaap gevallen?'

Luizen

Heb je last van luizen?

Smeer je haar dan in met petroleum.

Laat het even inwerken.

Was de petroleum er dan weer uit.

Kam de dode luizen uit je haar.

Tip: Blijf tijdens de behandeling uit de buurt van vuur.

De slangenprikstok!

Zorg dat je hem bij je hebt!

Eenvoudig te maken!

Neem een stevige stok, minstens 2 meter lang.

Sla er aan de onderkant flinke spijkers doorheen.

Zorg ervoor dat de punten naar beneden wijzen.

Kom je een gifslang tegen, zet zijn kop dan klem met de prikstok.

Hak de kop eraf.

Rooster de slang boven een vuurtje.

Eet hem op.

Zorg dat je altijd het schokkenapparaat bij je hebt om jezelf een schok te geven als je door een slang bent gebeten! En zorg dat de batterijen het nog doen. Gebruik ze niet voor je zaklamp of je radio!!

Jesse schrikt op. 'Nee. Nee, ik was niet in slaap gevallen. Ik zat te
– hé! Weten jullie hoe laat het is?'
Elisa kijkt naar de zon. 'Bijna twaalf uur.'
'O. Dan moet ik weg. Ik moet m'n malariapillen. Anders wordt
m'n moeder boos.'
'Ik breng je wel', biedt Yoesoef aan. 'Wacht even, dan haal ik
mijn prauw.' Hij rent weg langs de rivier en komt een paar
minuten later terugroeien.
'Stap maar in. Wil je een peddel? Je kunt ook zittend roeien. Zo
hebben wij het vroeger ook geleerd. Dat is makkelijker.'
'Wat? Konden jullie dat niet gelijk zeggen?'
Jesse stapt voorzichtig aan boord en gaat op een plankje zitten.
Yoesoef geeft hem een kleine peddel aan en doet hem voor hoe
hij hem moet gebruiken. Dit is echt een stuk makkelijker. De
boot glijdt snel naar het midden van de rivier.
'Je komt zo weer terug, hè?' roept Rafaël.
'Tuurlijk. En ik neem wel wat te eten en te drinken mee.'

Romantische kaarsjes erbij...

Wauw!
Wat een goeie gel!
Vindt Sanne vanavond
vast geweldig! ♥

117

'Als het maar geen drop is!' roept Koeman. Zijn stem schalt over het water.
Jesse draait zich om naar zijn vrienden, die met z'n vieren op de oever staan. Hij lacht. 'Nee hoor. Ik zoek wel wat sagorupsen!'

Uit een mail van Hannah de Haan:
In bepaalde seizoenen kwam er een soort motten over het water van de rivier vliegen. Dan waren er honderden en wij konden ze pakken en zo opeten. Soms gingen we op zoek naar waterkreeften, en dan maakten we een vuurtje, legden de kreeftjes erop en aten ze lekker op.

Uit een mail van Nathania de Haan:
We maakten eens een tocht per prauw met onze hulpen en gingen toen vissen in de schaduw onder de struiken, aan de zijkant van de rivier. Opeens viel er een beestje uit de struiken. Adoeh, ik kon niet meer, ik begon te schreeuwen, huilen en ik wilde opstaan en uit de prauw springen. Maar dat was geen goed idee, de prauw kiepte bijna om en de rest maar lachen. Voortaan, als we met de prauw weggingen, vroeg ik mijn moeder om eerst de hele prauw met Baygon te besproeien.

Uit een mail van Aidan de Haan:
Weet je, het was heel leuk om steeds met de kleine vliegtuigjes te vliegen. Alleen werden wij er altijd zo ziek van. Vooral als er turbulentie was. Dus hebben we altijd *Antimo*[4] bij ons en voordat we op het vliegtuig stappen, slikken we altijd een pilletje.

Uit een mail van Gerrit Jan Groen:
De sagorups at ik altijd levend! De kop wordt er af gebeten en het lijf eet je op. Ik denk dat als je het idee van een rups eten wegdenkt, veel mensen het lekker zouden vinden. Het is zeker

---

4 medicijn tegen reisziekte

niet te vergelijken met een marshmallow! Het is iets zoetig (van wat ik mij herinner) en smaakt een beetje naar de sago. Verder is het een beetje slijmerig.